Grands-parents aujourd'hui

Plaisirs et pièges

Deuxième édition

Collection du CHU Sainte-Justine
pour les parents

Grands-parents aujourd'hui

Plaisirs et pièges

Deuxième édition

Francine Ferland

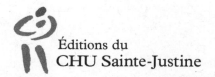

Éditions du
CHU Sainte-Justine

Catalogage avant publication de Bibliothèque et Archives nationales du Québec et Bibliothèque et Archives Canada

Ferland, Francine, 1947-

    Grands-parents aujourd'hui : plaisirs et pièges

    2e éd. rev. et augm.

    (La Collection du CHU Sainte-Justine pour les parents)

    Comprend des réf. bibliogr.

    ISBN 978-2-89619-599-2

    1. Rôle grand-parental. 2. Grands-parents et enfants. 3. Parents et enfants adultes. I. Titre. II. Collection : Collection du CHU Sainte-Justine pour les parents.

HQ759.9.F47 2012   306.874'5   C2012-940948-0

Illustration de la couverture : Marion Arbona
Conception graphique : Nicole Tétreault
Photo de l'auteure : Nancy Lessard

Diffusion-Distribution au Québec : Prologue inc.
                    en France : CEDIF (diffusion) – Daudin (distribution)
                    en Belgique et au Luxembourg : SDL Caravelle
                    en Suisse : Servidis S.A.

Éditions du CHU Sainte-Justine
3175, chemin de la Côte-Sainte-Catherine
Montréal (Québec) H3T 1C5
Téléphone : (514) 345-4671
Télécopieur : (514) 345-4631
www.editions-chu-sainte-justine.org

Dépôt légal : Bibliothèque et Archives nationales du Québec, 2012
                Bibliothèque et Archives Canada, 2012

Membre de l'Association nationale des éditeurs de livres

À Maurice, le grand-père qui vit avec moi depuis de nombreuses années et qui me comble toujours de son amour.

À Gabriel, à Maude, à Florence et à Camélia, mes petits-enfants qui occupent une place toute particulière dans mon cœur.

À leurs parents, Sébastien et Mireille, Jean-Philippe et Émilie, qui ont fait de moi une grand-maman choyée.

REMERCIEMENTS

La première édition de cet ouvrage, en 2003, m'avait permis de rencontrer des personnes extraordinaires : des grands-parents, bien sûr, mais aussi des petits-enfants et des parents. Plusieurs avaient rapporté des expériences tout à fait agréables et émouvantes, d'autres, des vécus douloureux, et quelques-uns, des situations particulièrement difficiles. Merci à toutes ces personnes généreuses qui ont fait en sorte que le contenu de cet ouvrage soit riche et dynamique. Cette première édition, traduite en portugais, en espagnol, en italien et en tchèque, laisse croire que l'objet de ce livre est universel même si le vécu quotidien peut varier selon les contextes culturels.

Je veux également remercier chaleureusement tous les grands-parents que j'ai eu le bonheur de rencontrer depuis cette première édition. Leurs questionnements et leurs commentaires sur ce superbe rôle qu'ils assument auprès de leurs petits-enfants de même que l'évolution de certaines données ont justifié une deuxième édition. La rédaction de cette deuxième édition fut l'occasion de recueillir de nouveaux témoignages. Merci à ces personnes d'avoir accepté de partager leurs expériences.

Merci également à l'équipe des Éditions du CHU Sainte-Justine, dirigée par Marise Labrecque, qui fait un travail très professionnel et fort efficace, tant pour l'édition que pour la promotion des ouvrages. Je suis très fière d'être associée pour la treizième fois aux Éditions du CHU Sainte-Justine. Rendre les connaissances accessibles à tous me semble une importante mission sociale et c'est un bonheur d'y contribuer.

TABLE DES MATIÈRES

INTRODUCTION

Les enfants chancelants sont nos meilleurs appuis.
Je les regarde, et puis je les écoute, et puis
Je suis bon, et mon cœur s'apaise en leur présence;
J'accepte les conseils sacrés de l'innocence.

Victor Hugo

On devient parent quand l'enfant naît; on devient grand-parent quand, à son tour, cet enfant devient parent. La nouvelle naissance entraîne un changement de génération, pour les uns comme pour les autres. Les enfants d'hier deviennent parents, et leurs propres parents, sans cesser de jouer ce premier rôle, commencent à en jouer un nouveau. Pourquoi appelle-t-on les grands-parents ainsi? Serait-ce parce que l'on considère qu'ils ont fait leurs classes, qu'ils ont grandi dans leur rôle parental, qu'ils sont en quelque sorte des parents diplômés?

Les grands-parents d'aujourd'hui sont fort différents de ceux d'autrefois: ils sont, entre autres, plus jeunes et plus actifs. De nos jours, il faut dissocier grands-parents et vieillesse. Ce qui n'a pas changé toutefois, c'est le lien très fort et très particulier que les grands-parents développent avec leurs petits-enfants et la place importante qu'ils occupent parfois dans leur vie. Toutefois, il ne suffit pas d'en porter simplement le titre: pour devenir de véritables grands-parents, il faut apprendre à assumer au jour le jour ce nouveau rôle. Malheureusement, aucune formation n'est offerte pour apprendre ce métier, pas plus d'ailleurs que celui de parents; il n'y a aucun mode d'emploi disponible. Les grands-parents d'aujourd'hui ne peuvent pas prendre modèle sur ceux d'autrefois; ils sont trop différents. Il leur faut donc réinventer la façon d'assumer le rôle grand-parental.

Apprendre à devenir grands-parents commence très tôt dans la vie. On est d'abord le petit-enfant de ses propres grands-parents; puis, lorsqu'on devient parent, on se retrouve à la jonction de la génération qui précède et de celle qui suit et on apprécie les relations avec l'une et l'autre. Quand naît le premier petit-enfant, l'apprentissage au jour le jour du rôle de grands-parents commence et, graduellement, chacun développe sa façon personnelle de l'assumer.

Pour mieux cerner la question de la grand-parentalité, il est opportun de considérer le point de vue des différentes personnes engagées dans cette relation : celui des grands-parents, bien sûr, mais aussi celui du petit-enfant et de ses parents. Tout au long de l'ouvrage, des grands-parents d'expérience et d'autres, novices, partagent avec nous leurs réflexions, leurs joies, leurs difficultés et leurs question-nements sur ce rôle. Des parents nous communiquent ce qu'ils apprécient et ce qu'ils aiment moins de leurs parents dans leur façon d'être grand-papa et grand-maman, et des petits-enfants de tous âges nous disent comment ils voient leurs grands-parents et ce qu'ils aiment ou ont aimé dans leur relation avec eux.

Les contextes dans lesquels ce rôle grand-parental s'exerce, tout autant que la façon de l'assumer, sont très variables d'une famille à l'autre et d'une culture à l'autre. Certains parents laissent une place de choix aux grands-parents et souhaitent un rapprochement entre les générations; d'autres se sentent menacés ou envahis par les grands-parents et limitent les contacts avec leurs enfants. Parfois, ce sont les grands-parents eux-mêmes qui décident de restreindre au minimum leur engagement envers leur petit-enfant, car ils souhaitent se reposer et bénéficier d'une plus grande liberté après avoir élevé leurs enfants. Et c'est sans parler des situations familiales particulières comme les séparations, les divorces ou les familles recomposées, qui modifient la dynamique des rapports entre parents, grands-parents et petits-enfants.

Le plus souvent, les grands-parents et les petits-enfants jouissent de relations solides et satisfaisantes, marquées du sceau de la diversité. « La grand-parentalité est tout sauf un ensemble uniforme d'expériences[1]. »

Ce livre s'adresse à tous les grands-parents, mais plus particulièrement à ceux qui abordent pour la première fois le monde de la grand-parentalité. Pour alléger le texte, nous faisons référence au petit-enfant au singulier, mais ce mot peut aisément être compris au pluriel. À l'arrivée d'autres petits-enfants, une nouvelle relation entre les deux générations s'établit et s'ajoute à la dynamique familiale existante. Dans les pages qui suivent, l'accent est mis sur le petit-enfant d'âge préscolaire parce que c'est généralement à cette période que tout commence entre les grands-parents et leur petit-enfant.

Cet ouvrage ne vise pas à établir le portrait type du grand-parent idéal. D'ailleurs, le grand-parent idéal existe-t-il vraiment ? Probablement pas davantage que le parent idéal. Nous proposons plutôt des pistes de réflexion pour reconnaître les enjeux liés à ce rôle, en identifier les pièges pour les éviter et multiplier les occasions de plaisir avec les petits-enfants afin que le rôle de grands-parents soit source de grand bonheur.

Note

1. C.J. Rosenthal et J. Gladstone. *Être grand-parent au Canada*. Nepean, Ont. : Institut Vanier de la famille, 2000.

CHAPITRE 1

La rencontre du passé et du futur

> *La mémoire est l'avenir du passé.*
> Paul Valéry

> *Les grands-parents possèdent les clés*
> *d'une bibliothèque qui ouvre sur le passé.*
> Michel Lemay

La relation entre les grands-parents et leur petit-enfant est en quelque sorte une rencontre entre le passé et le futur, et cette relation profite aux deux parties en cause. Toutefois, les grands-parents d'aujourd'hui présentent des caractéristiques qui les distinguent nettement de ceux qui les ont précédés, et divers facteurs influencent ce nouveau rôle grand-parental.

Particularités des grands-parents d'aujourd'hui

Les grands-parents d'aujourd'hui sont très nombreux en proportion du nombre d'enfants. En fait, il n'y a jamais eu autant de grands-parents pour aussi peu d'enfants. Rien d'étonnant à cela puisque le taux de natalité est faible (1,02 enfant par famille au Canada[1]) et le nombre de grands-parents augmente (5,7 millions en 2001 contre 6,3 millions en 2006[2]). Dorénavant, les *baby-boomers* ont l'âge d'être grands-parents. Après le *baby-boom*, peut-être pourrait-on dire que nous en sommes maintenant au « *papy-boom* ».

Par ailleurs, les grands-parents n'ont jamais été aussi jeunes. Selon l'étude menée par l'Institut Vanier de la famille et publiée en 2000[3], les couples canadiens deviennent en général grands-parents pour la première fois au milieu de leur vie, soit vers la fin de la quarantaine ou au début de la cinquantaine. Environ la moitié des grands-parents (49 %) ont moins de 65 ans et ils ont en moyenne 4,7 petits-enfants[4]. Par ailleurs, chez les Premières Nations[5], il est fréquent qu'une femme ait un enfant très jeune, vers 15 ans, et que sa fille fasse de même. On rencontre alors des grands-mères qui n'ont que 30 ans.

Les données françaises sont similaires puisque, selon Attias-Donfut[6], les grands-parents français ont en moyenne entre 48 et 52 ans au moment de la naissance de leur premier petit-enfant. En Suisse, l'âge auquel les femmes deviennent grand-mère pour la première fois est de 52 ans selon le *Rapport des générations* de 2008[7].

La tendance récente des femmes à devenir mères plus tard qu'auparavant pourrait laisser croire que l'on devient grands-parents plus tardivement. Bien que cela puisse être le cas pour certains, les statistiques ne démontrent pour le moment aucune généralisation dans ce sens.

Les grands-parents d'aujourd'hui sont aussi plus actifs que leurs prédécesseurs. La plupart du temps, ils sont toujours sur le marché du travail et économisent pour leur retraite lorsque naît leur premier petit-enfant. Il y a donc chevauchement de rôles et de responsabilités pour ces grands-parents. D'autres nouveaux grands-parents sont de jeunes retraités fort actifs et en pleine santé, dont l'agenda est parfois plus chargé que lorsqu'ils travaillaient. Ils fréquentent des centres d'entraînement, ils voyagent, ils ont des projets. Grand-maman n'a plus son chignon blanc ni son tablier ; et grand-papa a depuis longtemps éteint sa pipe et remisé sa chaise berçante. En fait, « les grands-parents d'aujourd'hui sont plus susceptibles de construire des chaises berçantes que de s'y asseoir, de commercialiser des biscuits que d'en faire et de porter un survêtement de jogging qu'un tablier[8] ».

Les grands-parents d'aujourd'hui ont aussi été sensibilisés à l'importance d'une bonne alimentation et à de saines habitudes de vie. Ils savent donc comment se maintenir en bonne santé, ce qui a un impact sur leur espérance de vie. Une personne de 65 ans peut s'attendre à vivre encore 18,9 ans en moyenne, ce qui représente une augmentation de 1,6 an depuis 10 ans[9]. Cette espérance de vie favorise encore davantage les femmes que les hommes même si l'écart se rétrécit. Ainsi, en 2010, l'espérance de vie était de 83,6 ans pour les femmes contre 79,6 ans pour les hommes. Les enfants qui ont des grands-parents sont dès lors plus nombreux que par le passé[10]. En Amérique du Nord, 90 % des enfants de 10 ans ont au moins un grand-parent qui est toujours en vie. Ce pourcentage ne descend qu'à 75 % quand ils ont 20 ans. C'est donc dire que la relation entre les grands-parents et leur petit-enfant s'inscrit dans le long terme. Les grands-parents sont non seulement présents pendant l'enfance, mais aussi pendant l'adolescence et la vie adulte de leur petit-enfant.

Apport des grands-parents à leur petit-enfant

Le rôle des grands-parents est complexe et mal défini. S'ils ne sont pas les parents, ils sont cependant un peu plus qu'un oncle ou une tante. Quelle est leur fonction ? Que peuvent-ils apporter à leur petit-enfant ? En fait, ils peuvent avoir une influence à différents points de vue. Passeurs de la mémoire et des traditions familiales, ils contribuent à renforcer les racines identitaires de leur petit-enfant ; ils servent aussi de « courroies de transmission » pour les traditions, les valeurs et les connaissances. De plus, ils apportent à l'enfant une précieuse source d'affection. Voyons plus en détail ces différents rôles.

Historiens familiaux

Les grands-parents sont les témoins vivants de l'histoire familiale et, de ce fait, ils se révèlent être des historiens de choix pour apprendre au petit-enfant ses racines familiales; ils représentent sa lignée d'origine et lui fournissent ses liens de filiation. Par eux, l'enfant réalise d'où il vient et qui l'a précédé. Les grands-parents représentent la mémoire de la famille; ils sont capables de situer la généalogie de chacun et de retracer l'histoire et le parcours de la famille.

Connaître son histoire et pouvoir situer ses origines permet à l'enfant de mieux se connaître et d'identifier sa place dans l'univers familial. Les enfants adoptés qui, une fois adultes, cherchent à retracer leurs parents biologiques, démontrent le besoin très fort et commun à tous de connaître leurs origines. Pour demeurer vivante, l'histoire familiale doit toutefois être racontée et transmise de génération en génération, et les grands-parents sont les mieux placés pour le faire.

Dans cette chronique de vie, l'enfant apprend la place et le rôle de la famille élargie (tantes, oncles, cousins…):
« Ton papa est mon enfant et ta tante Michèle aussi; Xavier et Cédric sont tes cousins. »

Auprès de ses grands-parents, l'enfant découvre aussi ses parents, et ce, de façon très concrète: qui ils étaient dans leur jeunesse, ce qu'ils aimaient, ce qu'ils faisaient, quelles ont été leurs réalisations. Les grands-parents permettent à l'enfant de comprendre que ses parents ont déjà été jeunes:
« Ta maman avait de longs cheveux blonds et elle a porté des nattes pendant des années. »

« Ta maman aussi avait une doudou qu'elle traînait partout avec elle. »

« Ton papa adorait se promener avec sa belle bicyclette rouge. »

« Quand il était petit, ton papa n'aimait pas les légumes, mais quand je les préparais en purée, il adorait cela. »

De plus, l'enfant peut se rendre compte que ses parents se faisaient parfois gronder quand ils étaient petits :

« Cette fois-là, ton papa n'avait pas écouté ton grand-père et il avait reçu une punition. »

Cela relativise la situation et donne au parent sa dimension d'humain.

Ainsi, grâce à des histoires concrètes, le sentiment de filiation se crée. Auprès de ses grands-parents, le petit-enfant expérimente la notion de chaîne, il s'approprie le passé et peut à son tour se projeter dans l'avenir. Les contes et les légendes sont aussi porteurs de l'histoire de la famille, de la région ou d'un pays et font le lien entre le passé et le présent.

Courroies de transmission des traditions

Les grands-parents perpétuent les traditions qui permettent de transmettre de génération en génération une façon d'agir, de penser et de fêter qui nous est propre. Ces différentes activités partagées avec tous les membres de la famille renforcent le sentiment d'appartenance et de cohésion. Le jeune enfant qui y participe se sent partie prenante de la famille. Le plus souvent, ce sont les grands-parents qui, lors des fêtes, transmettent la culture familiale. C'est d'ailleurs souvent à leur mort que ces traditions se perdent, du moins jusqu'à ce que l'une des familles ou chacune d'elles les reprenne à son propre compte.

Les traditions varient beaucoup d'une famille à l'autre. Dans certaines d'entre elles, on plante un arbre à la naissance d'un enfant, on célèbre les fêtes du réveillon de Noël ou du jour de l'An avec des plats particuliers, on souligne le baptême ou les anniversaires de naissance d'une certaine façon, on se réunit à Pâques ou on organise un repas annuel à la cabane à sucre au printemps.

Les grands-parents sont aussi les détenteurs du patrimoine familial : maison, meubles, objets particuliers (par exemple, l'alliance d'un ou d'une aïeule remise au premier petit-enfant au moment de son mariage), bijoux de famille, photographies, documents anciens (par exemple, la copie du contrat de mariage d'un ancêtre). Tous ces biens qui traversent le temps et que les grands-parents lèguent aux générations suivantes à des moments précis sont aussi les témoins des traditions familiales.

> Les biens matériels dont j'ai hérité de mes grands-parents ? Certains meubles et objets anciens : c'est sûrement d'eux que me vient mon intérêt pour les antiquités, l'histoire et les films d'époque. J'ai aussi conservé précieusement le premier missel que m'avait donné ma grand-mère paternelle, même si je ne pratique plus.
>
> *Pierre, 46 ans*

Les petits-enfants manifestent parfois aussi un intérêt pour certains objets du passé.

> Grand-maman, plus tard, j'aimerais ça avoir le 5 dollars en or que ta mère avait reçu quand elle était petite.
>
> *Gabriel, 9 ans*

Transmetteurs de valeurs

L'importance de la famille, du respect de l'autre, de l'amour, des choses simples, de la nature, voilà quelques-unes des valeurs fondamentales que les grands-parents peuvent transmettre à leur petit-enfant. Ces leçons de vie sont particulièrement importantes dans notre société de surconsommation qui sollicite très tôt l'enfant par une publicité agressive et envahissante. Les grands-parents sont souvent plus éloignés de cette publicité que les parents, et ils ne reçoivent pas de demandes incessantes et quotidiennes du petit en ce sens, ce qui leur laisse la possibilité de mettre l'accent sur des considérations autres que matérielles et de démontrer que l'important ne s'achète pas. Ils sont dès lors les piliers des valeurs fondamentales à transmettre, des valeurs qui résistent au temps en conservant toute leur importance.

À mon avis, les grands-parents représentent, pour les petits-enfants, le lien avec leurs racines; ils témoignent d'une continuité. Ils sont aussi bien placés pour amener les petits-enfants vers l'essentiel, loin de la société de consommation.

Père de trois enfants de 5 à 13 ans

Transmetteurs de connaissances

Les grands-parents sont une source de connaissances pour les petits-enfants. Nombreux sont ceux qui amènent les petits à des spectacles, qui prennent le temps de leur expliquer la nature, de répondre à leurs questions; en d'autres mots, ils les accompagnent dans leur découverte de la vie. Si les grands-parents voyagent, ils peuvent enseigner à leur petit-enfant où se situe le pays visité, comment les gens y vivent, quelle langue ils parlent. Ils leur donnent alors une leçon de géographie et une ouverture sur le monde.

Quand mes deux fils étaient enfants, on faisait différentes choses avec eux, comme aller aux pommes ou visiter les animaux dans les centres commerciaux. Je fais cela aussi avec mes petits-fils, mais comme je suis à la retraite, j'ai davantage de temps que j'en avais pour mes fils. J'ai le temps de les regarder vivre. Je fais aussi plus d'activités avec eux. J'aime les amener à jouer, à manipuler, à bricoler, à être manuels. Avec le bricolage, ils voient un résultat concret et tirent une satisfaction de l'avoir fait de leurs mains. J'essaie de leur apprendre des choses que leurs parents n'ont pas le temps de leur montrer, d'être un complément à ce qu'ils reçoivent d'eux.

Marcel, grand-papa de trois garçons d'âge préscolaire

Au retour de notre voyage en Italie, Nathan, 5 ans et Jade, 4 ans, ont été curieux de voir la distance que nous avions parcourue sur le globe terrestre, même s'ils ne comprenaient pas vraiment ce qu'elle signifiait. Ils étaient tout heureux d'apprendre à dire bonjour et merci en italien.

Louise

Confidents

Les grands-parents peuvent aussi être des confidents discrets et réceptifs, prêts à tout entendre ou presque, en général plus que ce que leur confiaient leurs propres enfants. Leurs réactions sont souvent moins vives que celles des parents, ce qui témoigne de leur capacité à relativiser les problèmes. Cette confiance ne s'instaure cependant que si les secrets confiés sont respectés. Alors, et alors seulement, une zone d'intimité peut se créer entre les grands-parents et leur petit-enfant. Bien sûr, quand les secrets confiés mettent en cause la santé ou la sécurité de l'enfant, les grands-parents se doivent d'en informer les parents.

C'est particulièrement à l'adolescence que les grands-parents peuvent être appelés à jouer ce rôle de confident.

> Quand j'étais en conflit avec mes parents, à l'adolescence, c'est vers ma grand-mère que je me tournais. Je lui racontais tout et elle savait m'écouter.
>
> *Carolyne, 32 ans*

Pourvoyeurs d'attention

Le plus beau des cadeaux que peuvent offrir les grands-parents à leur petit-enfant, c'est leur attention. Prendre le temps de jouer, de discuter, de faire des sorties et de passer du temps avec lui constitue un cadeau inestimable. Lui donner du temps, c'est lui donner de l'amour.

> Je me souviens que mon grand-père m'avait invité un après-midi à aller à la pêche avec lui dans le ruisseau derrière la maison. Je me rappelle même l'odeur du mois de mai et de l'herbe humide. Je ne me souviens plus si on avait pris des poissons, mais j'étais tout content d'être seul avec lui ; il m'avait demandé à moi, alors qu'il avait huit autres petits-enfants. Je me sentais important.
>
> *Maurice, 56 ans*

Qu'ils soient riches, pauvres, malades ou en santé, les grands-parents peuvent offrir cette chaleureuse attention à leur petit-enfant. Auprès de ses grands-parents, l'enfant se sent intéressant et important. Il sent qu'il est une personne à part entière parce que ses grands-parents s'intéressent à ce qu'il dit, à ce qu'il fait, à tout ce qui le concerne, et ce, même s'il fait parfois des bêtises et s'il ne fait pas tout à la perfection.

Les enfants aiment qu'on écoute leurs histoires et leurs aventures : les adultes en sont souvent incapables. Pressés ou peu attentifs, ils se contentent de poser des questions stéréotypées : « Qu'est-ce que tu as fait à l'école ? » « As-tu reçu de beaux cadeaux à Noël ? » Ou alors, ils reprennent l'enfant lorsqu'il dit quelque chose d'inexact, ce qui risque de lui enlever le plaisir de se raconter. Très souvent, les grands-parents sont un meilleur auditoire. Ils ont le temps d'écouter et, en général, ils n'ont pas tendance à corriger constamment l'enfant. Même si celui-ci est en pleine période de fabulation et qu'il invente des histoires farfelues qu'il présente comme réelles, ses grands-parents écoutent souvent le tout avec un sourire, sans le gronder ni conclure que l'enfant raconte des mensonges.

L'amour inconditionnel des grands-parents et la place de choix que le petit-enfant occupe dans leur cœur favorisent le développement de l'estime de soi de l'enfant et contribuent à le faire grandir droit et fier.

Oasis de sécurité et de stabilité

Dans le contexte social actuel, alors que les structures familiales se fragilisent, que les familles se défont et se refont sur de nouvelles bases, à l'heure des familles recomposées, les grands-parents sont appelés à jouer un nouveau rôle fort important en offrant sécurité et stabilité à l'enfant.

De fait, ils déménagent et divorcent moins souvent que les parents. Dans les moments de crise familiale (maladies, divorces, difficultés financières), ils jouent souvent un rôle actif, offrant un précieux soutien affectif ou financier. Dans ces circonstances, ils peuvent se révéler indispensables à l'équilibre et au bonheur du jeune enfant et contribuer à réduire son stress. Encore faut-il qu'ils ne prennent pas part au conflit, ni ne critiquent l'un ou l'autre parent. Ce n'est qu'à ces conditions qu'ils pourront servir de repère, de pilier et de havre de paix pour leur petit-enfant. Celui-ci prendra conscience que, quoi qu'il arrive dans sa famille, il peut toujours compter sur ses grands-parents.

Soutiens indirects à l'enfant

L'aide financière (dons, prêts, cadeaux…) que les grands-parents apportent à l'occasion à la jeune famille contribue à diminuer le stress familial lié à une situation financière précaire. Ils concourent ainsi indirectement au bien-être de l'enfant en aidant ses parents à être plus sereins.

Le soutien que les grands-parents offrent à la famille peut aussi être d'ordre instrumental. Ils peuvent, par exemple, garder l'enfant quelques heures, l'accompagner à un rendez-vous chez le médecin ou le dentiste quand les parents ne peuvent s'y rendre ou les aider dans des tâches domestiques. Dans d'autres cas, ce soutien sera d'ordre affectif, en offrant aux parents une oreille attentive à leurs questionnements et en leur permettant, dans les moments difficiles, d'évacuer leur «trop-plein», servant ainsi de soupape émotive. Ce soutien financier, instrumental ou affectif peut être particulièrement utile lorsque les parents éprouvent des difficultés matrimoniales, qu'ils vivent une séparation ou un divorce, qu'ils sont aux prises avec des problèmes de santé ou d'invalidité ou dans toute autre situation difficile.

Sachant que les grands-parents constituent une ressource fiable sur laquelle ils peuvent compter, les parents se sentent soutenus dans leur rôle et plus détendus dans leur quotidien, ce qui profite à l'enfant.

Quand un tel soutien est totalement absent, la situation des parents est difficile.

> On n'a pas reçu de soutien de la part de nos parents. Avec trois enfants, ça a été difficile pour nous. Jamais nous n'avons eu d'aide financière. Ils ne nous ont pas non plus offert de garder nos enfants un soir pour nous permettre une sortie de couple, rien pour nous donner un peu de répit. On a fait beaucoup de sacrifices pour s'en sortir.
>
> *Père de trois enfants de 5 à 13 ans*

Meilleure perception des personnes âgées

Les contacts réguliers entre les grands-parents et les petits-enfants permettent à ces derniers de mieux connaître les personnes âgées, d'acquérir un sens de l'histoire et de voir la vie selon le point de vue des aînés. Ils ont dès lors moins de préjugés envers les personnes âgées et vieillissantes[11], un héritage qui les accompagne toute leur vie.

Apport du petit-enfant à ses grands-parents

Si les grands-parents ont une influence sur l'enfant, ce dernier en a tout autant sur ses grands-parents.

Du soleil dans leur quotidien

Les initiatives de l'enfant peuvent égayer le quotidien des grands-parents, comme ce fut le cas pour cette grand-mère qui s'est vu offrir de magnifiques fleurs cueillies par son petit-fils dans son jardin. C'est avec fierté que l'enfant est entré dans la maison avec son bouquet de... ciboulettes en fleurs. Ce cadeau a « embaumé » la cuisine tout autant qu'un bouquet de roses et a fait sourire de bonheur sa grand-maman ! Cette grand-maman a aussi eu des surprises, après la visite de son petit-fils qui s'était amusé, avec sa permission, avec ses boîtes de conserve. Non seulement les avait-il empilées, mais il en avait aussi enlevé toutes les étiquettes. Quand elle ouvrait une boîte de conserve, elle ne savait pas si elle aurait droit à un potage, à une sauce ou à des légumes. Elle a sûrement pensé fréquemment à son petit-fils qui avait eu tant de plaisir avec ces jouets inusités.

Les enfants ont aussi des réflexions dont ils sont les seuls à avoir le secret et qui font sourire leurs grands-parents. Ainsi, ce petit garçon qui dit à son grand-père : « Si tu mettais ton dentier sous ton oreiller, la Fée des dents te donnerait beaucoup de sous. » Ou cette fillette qui demande à sa grand-mère : « Quand tu étais petite, est-ce qu'il y avait des dinosaures ? » Ils seront aussi ravis d'entendre de grandes vérités telles que[12] :

« Moi, je dors dans mon lit et mon petit frère dans le sien. »

« Maman et papa dorment ensemble parce qu'ils sont de la même grandeur. »

« Quand on ne met pas de crème, le soleil nous donne des coups. »

« Le printemps, c'est quand la neige fond et qu'elle repousse en gazon. »

Parfois, c'est le sens de l'observation de l'enfant qui fait sourire les grands-parents. Ainsi, Mathilde[13], 4 ans, raconte : « Aujourd'hui, j'ai vu que grand-papa Robert avait des poils dans ses oreilles. Je lui ai demandé pourquoi. Il m'a dit que c'était ses cheveux qui avaient arrêté de pousser sur sa tête et qui sortaient par ses oreilles et par son nez. C'est vrai qu'il n'a pas beaucoup de cheveux. »

Stimulation physique et intellectuelle

Un petit-enfant est un entraîneur hors pair pour ses grands-parents. Se retrouver par terre pour jouer avec lui, le suivre dans ses jeux, bouger à son rythme, voilà qui invite les grands-parents à rester actifs physiquement. Il est d'ailleurs démontré que les aînés ont une meilleure santé quand ils sont en contact avec les jeunes générations.

Par ailleurs, être assailli de questions de toutes sortes, redécouvrir la vie avec les yeux de l'enfant, l'accompagner dans ses découvertes, voilà autant de stimulations intellectuelles pour les grands-parents.

Quand il grandit, le petit-enfant permet à ses grands-parents de rester au fait des nouvelles tendances et des valeurs culturelles en mutation. Grâce à lui, ils savent que tel nom bizarre fait référence à un personnage d'une émission de télévision pour enfants, ils apprennent à décoder la signification d'une nouvelle expression à la mode ou le fonctionnement d'un jeu d'ordinateur et ils savent quelles activités sont maintenant offertes à l'école maternelle. Le petit a alors l'impression, et à juste titre, de montrer quelque chose à ses grands-parents. Il les aide à accueillir les innovations de toutes sortes, ainsi qu'à conserver et peut-être même à développer une ouverture d'esprit pour comprendre le monde dans lequel il évolue.

Un proverbe chinois dit : « Il faut rajouter de la vie aux années et non des années à la vie. » C'est précisément ce qu'apporte le petit-enfant à ses grands-parents au quotidien : de la vie, de l'action et une stimulation de tous les instants.

Sentiment de continuité

Accéder au statut de grand-parent apporte aussi une satisfaction sur un tout autre plan. Quand nos propres enfants décident de donner la vie à leur tour (je parle ici de choix et non d'accident de parcours), c'est d'une certaine façon le signe qu'on a réussi à leur faire découvrir la beauté et la richesse de la vie, puisqu'ils ont aussi le désir de la donner à leur tour. C'est donc qu'ils apprécient le cadeau qu'on leur a fait en les mettant au monde et que nous avons réussi notre mission éducative.

Bien sûr, la grand-parentalité signifie aussi que le temps passe. « Être grand-parent met [...] face aux idées de perte, de fragilité et de mort, tout en conférant paradoxalement une nouvelle jeunesse à l'idée de recommencer en partie à accompagner un petit[14]. »

Pour certains, ce passage inexorable du temps est plus difficile à vivre. « Le jour où mon bébé a eu un bébé reste inoubliable, marqué dans mon existence d'une pierre blanche... J'ai eu l'impression de prendre 20 ans d'un coup, d'enterrer ma jeunesse en l'espace de quelques secondes[15]. »

Charles Aznavour chantait: «Hier encore, j'avais 20 ans...» Aujourd'hui, on se retrouve déjà dans la génération des grands-pères et des grands-mères, ce qui signifie qu'on s'achemine lentement vers l'étape finale de sa vie. Toutefois, les petits-enfants comblent par leur présence le désir de survivre et apportent un sentiment de continuité. L'arrivée d'une nouvelle génération suscite en effet chez l'humain le désir de transcender la mortalité en s'investissant dans les générations futures, favorisant ainsi l'acceptation de sa propre mort.

En dépit de cette issue inexorable, les grands-parents peuvent avoir devant eux de nombreuses années remplies de moments magiques. Pourquoi les assombrir par cette peur de la mort qui peut n'arriver que dans 20 ou 30 ans? Pourquoi perdre sa vie à craindre la mort? Et même si elle devait survenir demain, pourquoi gaspiller le moment présent?

Source d'amour

Il ne faut pas sous-estimer l'amour, la tendresse et la joie qu'un petit-enfant apporte à ses grands-parents. Les bisous et les câlins se donnent à deux et les grands-parents retirent autant d'amour de cette relation qu'ils en donnent.

> On leur donne de la tendresse. Ils en ont besoin, mais je pense qu'on en a besoin autant qu'eux et qu'ils nous en donnent aussi beaucoup.
>
> *Grand-papa de six petits-enfants*

Cette affection ajoute à la satisfaction des grands-parents face à la vie et elle maintient leur cœur bien vivant.

«Les rencontres intergénérationnelles font grandir les petits et "rajeunir" les aînés dans un climat de bonheur[16].» Tous trouvent leur compte dans cette relation: les uns acquièrent un sentiment d'appartenance et de sécurité ainsi que de l'affection, et les autres, un sentiment de continuité, d'utilité et une cure de jouvence. Pour les parents, l'inter-action entre les grands-parents et les petits-enfants offre souvent un répit salutaire.

Facteurs qui influencent le rôle de grands-parents

Plusieurs facteurs influencent toutefois la façon d'assumer le rôle grand-parental. Ainsi, la proximité géographique des grands-parents par rapport à leur petit-enfant favorise bien évidemment des contacts fréquents avec lui et une connaissance plus concrète de l'enfant. Leur interaction est alors susceptible d'être plus intense et plus suivie que lorsqu'ils vivent éloignés les uns des autres. Une étude a d'ailleurs démontré que les grands-parents et les petits-enfants qui vivent à moins de 10 kilomètres les uns des autres se voient environ 100 fois par année, alors que les rencontres se réduisent à 3 ou 4 par année lorsque la distance est supérieure à 120 kilomètres[17]. Le degré de proximité affective entre les générations dépend donc de la distance géographique et de la fréquence des contacts[18].

L'âge des grands-parents à la naissance de l'enfant influence aussi le type de relations qui s'établissent entre les deux parties. Les grands-parents de 50 ans ont plus d'énergie que ceux de 80 ans. En conséquence, les activités proposées par les uns et les autres sont souvent de nature différente.

> Notre première petite-fille est arrivée dans notre vie, suivie de sept autres petits-enfants. Ce qui change de l'un à l'autre, ce n'est pas l'importance de l'événement ni l'amour qu'on porte à l'enfant, mais l'âge qu'on a. Dix ans de plus ou de moins, ça compte vraiment.
>
> *Lise, grand-maman de 64 ans*

Toutefois, davantage que l'âge lui-même, c'est surtout l'état de santé des grands-parents, et plus précisément leur capacité fonctionnelle, qui influence leur relation avec l'enfant. Le fait d'être en mesure de jouer physiquement leur rôle de manière active contribue à augmenter les contacts avec leur petit-enfant et suscite chez ce dernier un plus grand intérêt pour ses grands-parents.

> Lorsque j'ai eu mon premier enfant (Gabrielle), j'ai été agréablement surprise de voir que mon père s'occupait beaucoup du bébé. À 79 ans, il se mettait à quatre pattes pour jouer, il continuait de la bercer même lorsqu'elle était endormie et il se faisait un plaisir de participer à ses différents scénarios de jeux. Depuis, papa a subi deux accidents cérébraux vasculaires qui ont entraîné une légère paralysie des quatre membres avec des problèmes d'attention et de concentration, et il se fatigue rapidement. Je m'aperçois qu'il n'a pas la même interaction avec ma deuxième fille, qui est née il y a un an. Il n'a plus les capacités pour s'amuser avec elle ou tout simplement pour s'occuper d'elle. Je garde en mémoire les beaux moments dont j'ai été témoin entre mon père et Gabrielle, et je profite de ceux que je vis en ce moment lorsque sa bonne humeur s'accentue et son regard s'illumine en voyant apparaître ses deux petites-filles.
>
> *Lucie, maman de Gabrielle, 4 ans, et de Maryanne, 1 an*

À l'inverse, il arrive que certains se trouvent trop jeunes pour jouer aux grands-parents et refusent d'endosser ce rôle. Ils jugent qu'ils ne sont pas prêts.

Évidemment, lorsque les grands-parents sont encore sur le marché du travail ou qu'ils voyagent beaucoup, ils sont dans une situation qui réduit les contacts à certains moments, mais apporte une stimulation particulière à d'autres. Découvrir le travail de grand-papa ou de grand-maman, apprendre que la monnaie, la langue et les habitudes de vie diffèrent d'un pays à l'autre, tout cela ouvre de nouveaux horizons à l'enfant.

De plus, tant la situation matrimoniale des grands-parents que celle des parents influencent l'engagement des grands-parents envers le petit. Si, par exemple, la grand-maman est veuve, elle risque de prendre son petit-enfant en vacances moins souvent ou moins longtemps que si elle avait toujours son conjoint. Les grands-parents d'un enfant qui vit dans une famille monoparentale seront souvent appelés à jouer un rôle plus actif. Le pourcentage de familles monoparentales a connu une augmentation régulière au cours des 25 dernières années : en 2006, il atteignait 25,8 %[19].

Le rôle de grands-parents varie d'une culture à l'autre. À titre d'exemple, dans les communautés autochtones et dans certains pays africains, la responsabilité de l'éducation des enfants est partagée par toute la famille, incluant les oncles, les tantes et les grands-parents. Parfois, la discipline relève des parents alors que les grands-parents assument la guidance spirituelle. Le rôle de grands-parents dans ces sociétés est fort différent de celui des grands-parents dont la culture valorise la non-ingérence entre les générations.

Dans certaines sociétés traditionnelles, les grands-parents sont distants. Difficiles d'accès, mais honorés et respectés par leurs enfants et leurs petits-enfants, ces grands-parents sont vus comme les dépositaires du patrimoine familial et les gardiens des valeurs familiales. Jamais il ne leur viendrait à l'idée de se mettre à quatre pattes pour jouer avec les petits.

L'apport culturel de grands-parents venant d'une autre culture enrichit l'expérience de vie de l'enfant.

> Mes beaux-parents étaient Libanais. À mon avis, c'est une richesse pour des enfants de baigner dans deux cultures. Quand ils étaient petits, leur grand-père leur a appris les rudiments de la langue arabe et quand les enfants se rappelaient la leçon précédente, il les récompensait par un bonbon ou un biscuit. La nourriture est d'ailleurs importante dans cette culture. Il y avait toujours une abondance de nourriture préparée par ma belle-mère à chacune de nos visites, et ce, à toute heure du jour ; pour eux, si on mange, c'est signe qu'on est en santé et qu'on ne sera pas malade. Ils avaient une tradition que je perpétue encore aujourd'hui : au jour de l'An, on met des sous (qui sont devenus des billets chez nous avec les années) sous l'assiette pour la bonne chance de la nouvelle année. Toutefois, c'est Pâques qui, pour eux, est la plus grande fête ; on s'habille de vêtements neufs et on reçoit en grande pompe. Quand mon fils est né, mes beaux-parents étaient au Liban ; ils ont fait une grande fête dans leur village pour souligner l'événement. C'est un monde d'hommes et un garçon perpétue le nom de la famille. Mon fils a d'ailleurs fait son voyage de noces au Liban. Aujourd'hui, mes trois enfants comprennent la langue arabe et j'en suis très heureuse.
>
> *Jeanne, 59 ans, mère de trois enfants*

Du côté paternel, le grand-père de mes deux enfants était d'origine française et avait vécu longtemps en Espagne et leur grand-mère était d'origine espagnole. Quand ils étaient petits, leur grand-père parlait beaucoup avec eux, il leur enseignait des mots en espagnol et leur racontait l'Espagne; aujourd'hui, mes deux enfants parlent couramment espagnol. En vieillissant, ils étaient très intéressés par la vie de leurs grands-parents en Espagne et les souvenirs de guerre de leur grand-père. Mes deux enfants apprécient la cuisine espagnole que nous faisons à l'occasion à la maison. Je suis contente que mes enfants ne soient pas coupés de leurs racines paternelles.

Françoise, 54 ans

Les liens qui existent entre les parents et les grands-parents à la naissance de l'enfant peuvent aussi teinter la relation des grands-parents avec leur petit-enfant. L'entente ou la mésentente existant entre eux favorise ou non l'établissement de relations chaleureuses et suivies avec le nouveau-né. Si la relation avec la génération intermédiaire fait l'objet de tensions, les contacts avec le petit-enfant risquent d'être réduits. Cette relation inclut évidemment le lien avec le conjoint ou la conjointe de son enfant; en se joignant à la famille, ce conjoint ou cette conjointe apporte l'expérience d'une éducation différente, voire d'une autre religion ou d'une autre culture. Si l'accueil de ce conjoint ou de cette conjointe se fait avec réserve, il peut s'ensuivre des divergences de points de vue que la naissance de l'enfant ne manquera pas de faire ressortir. À l'inverse, des liens chaleureux établis dans le respect des différences favorisent un climat familial propice à l'harmonie, et la naissance de l'enfant resserre encore davantage ces liens.

Enfin, il semble que les rapports qu'ont entretenus les grands-parents avec leurs propres grands-parents influencent le lien qu'ils établissent avec leur petit-enfant. Ces rapports auraient un impact, semble-t-il, sur le style de grands-parents qu'ils deviennent. Comme le dit Eric Ransdell, « ce que vous retenez de votre passé modèle votre avenir ».

Mon mari et moi avions l'un de nos grands-pères comme
parrain. Nous avons reçu beaucoup d'amour de leur part.
Je me rappelle avec bonheur mon grand-père, qui savait
rire, chanter, aimer et accueillir. J'étais fière et je me sentais
privilégiée d'être aussi sa filleule. Encore aujourd'hui, ce
merveilleux parrain et grand-père veille sur mon quotidien.
Le grand-père de mon mari était charmeur, très sportif et il
partageait les jeux des enfants. Quoique très différents l'un
de l'autre, ils ont été très présents dans nos vies. Je garde
aussi le souvenir de l'odeur du sapin chez ma grand-mère.
La nappe brodée, le raisin rouge en cascade... Malgré le
temps, ces images n'ont rien perdu de leur intensité.

Lise, 64 ans

Pour ma part, j'ai le souvenir d'une grand-maman qui,
malgré son grand âge (elle devait avoir plus de 75 ans quand
j'en avais à peine 5), organisait chaque jour de l'An des jeux
pour nous. C'était une femme active qui aimait les fêtes,
les enfants et les voyages. Est-ce à cause de son influence
que je me suis tant intéressée aux enfants et à leurs jeux,
et que je trouve autant de plaisir à jouer avec mes propres
petits-enfants? J'aime à le croire.

Notre expérience en tant que grands-parents est bien
jeune: nous avons un petit-fils de 18 mois et un deuxième
est attendu dans deux mois. L'arrivée de Xavier nous a permis
de revivre la naissance de nos propres enfants, mais la partie
heureuse seulement. Nous sommes très choyés. Nous avons
un merveilleux petit-fils: rieur, enjoué et sociable. Notre
plus grand plaisir, c'est de le voir heureux de nous voir, de
l'embrasser quand il accourt nous dire bonjour en nous
appelant «a-maman», «a-papa». Il est dommage que le temps
passe si vite; ce sera différent quand il sera plus vieux. Ce que
nous pensons lui apporter? De l'amour, de la tendresse et
de l'affection; peut-être aussi un sentiment de permanence,
sans toutefois constituer une présence envahissante. Nous
contribuons aussi à agrandir le cercle d'amour autour de lui.
Pour le moment, Xavier est plus attiré par son grand-père
quand nous sommes tous les trois ensemble (lui et nous).
Peut-être se sent-il plus en sécurité dans les bras musclés
de son grand-père, qui peut le soulever plus facilement?

Colette et Célestin, grands-parents d'un petit-fils de 18 mois

Ma grand-mère paternelle a été le premier amour de ma vie ; elle était belle, douce et attentionnée. Je pouvais tout lui confier : elle prenait le temps de m'écouter. Elle vivait avec nous, mais cette situation n'était pas du tout conflictuelle. Elle s'entendait très bien avec ma mère et elle n'était pas partie prenante des règles d'éducation en vigueur dans notre famille. Elle est morte après une longue maladie quand j'avais 7 ans : c'est très douloureux de voir mourir son amour. En plus de la grande tristesse, son décès a soulevé des craintes chez moi : comme mes deux grands-parents paternels étaient désormais décédés, j'avais peur que mon père meure lui aussi.

Mon grand-père maternel vivait à la campagne et avait une ferme. C'était un homme timide, mais gentil et plein d'amour. Il m'a fait découvrir la nature : les vaches, les poules, les immenses potagers et les grands espaces. J'y emmenais mes amis et j'étais très fier de leur faire connaître mon grand-père. Chez lui, on jouait à Tarzan sur les poutres de la grange et on se laissait tomber sur de gros ballots de foin, dont je garde encore l'odeur dans mes souvenirs. C'est lui qui a inspiré mon premier choix de carrière : ingénieur forestier.

Ma grand-mère maternelle était plus sévère et je la craignais. Elle était aussi très religieuse : c'était la cousine du frère André. La récitation du chapelet en famille tous les soirs était une tradition dont on ne pouvait être dispensé. C'était une femme de devoir et d'ordre. En vieillissant, je me suis davantage rapproché d'elle. C'est elle qui m'a donné confiance en mes capacités. Elle s'intéressait à mes devoirs, me trouvait des talents et m'a donné le goût d'apprendre. Elle m'a aussi initié à la musique : elle-même jouait du piano. Elle a influencé mes études, mon goût pour la musique et la discipline.

Pierre, 46 ans, père de trois enfants

Lorsque j'étais enfant, ma famille vivait loin de mes grands-parents et n'avait pas d'auto. Mon grand-père, qui n'avait pas de voiture non plus, prenait le train pour venir nous rendre visite tous les deux mois. Je me rappelle un été où on m'avait envoyée dans un camp de vacances; je ne pouvais pas rester à la maison parce que ma mère était malade. Je n'avais aucun contact avec ma famille. Un jour, j'étais particulièrement triste et je pensais que ma famille m'avait abandonnée. C'est précisément ce jour-là que j'ai eu la visite inattendue de... mon grand-père. Il avait fait tout le trajet d'abord en train, puis en autobus et enfin en taxi pour venir me voir. Encore aujourd'hui, quand j'y pense, j'éprouve la même émotion que cet après-midi-là.

Anne, 54 ans, mère de deux enfants

Et si c'était vrai?

Selon d'anciennes croyances populaires...[20]

- Embrasser un nouveau-né porte chance.
- Naître un jour de pleine lune est de très bon augure.
- Il faut attendre avant de peser le nouveau-né afin de ne pas blesser les dieux en soupesant le cadeau qu'ils nous ont accordé.
- Naître le jour de Noël est particulièrement avantageux.
- Pour que l'enfant grandisse bien, il faut le monter en haut de l'escalier de la maison au cours des premières heures de sa vie.
- Si, au moment de la naissance de l'enfant, les nuages dans le ciel ressemblent à des moutons, c'est un présage de prospérité et d'abondance.

Notes

1. www.indexmundi.com/fr/canada/taux_de_natalite.html

2. www.vanierinstitute.ca/include/get.php?nodeid=837

3. *Ibid.*

4. Voir le site de l'Institut Vanier, sous l'onglet «sujets de recherche». http://30645. vws.magma.ca/fr/node/154. Choisir ensuite la catégorie «formation de la famille» puis l'aspect «données démographiques, structure familiale».

5. Communication personnelle avec des représentants de la Nation huronne-wendat de la région de Québec, août 2008.

6. C. Attias-Donfut. *Les nouvelles générations de grands-parents: panorama d'une mutation.* Communication donnée à l'occasion d'un colloque international intitulé «Solidarité entre les générations» et organisé par la Caisse nationale d'assurance vieillesse. Paris, 1999.

7. www.femina.ch/ma-vie/famille/grand-mere-reinvente-son-role

8. S.W. Olds et D.E. Papalia. *Le développement de la personne.* Montréal: Éditions Études vivantes, 1996, p. 524.

9. M. Gobeil. «Augmentation de l'espérance de vie des Canadiens». *La Presse*, 23 février 2010.

10. R. Aber Schlesinger et B. Schlesinger. «Les grands-parents et les petits-enfants adultes: rôles et influences». *Transition* (revue de l'Institut Vanier de la famille), numéro d'automne, 2004, 8-10.

11. C.J. Rosenthal et J. Gladstone. *Op.cit.*

12. Pour lire d'autres grandes vérités sortant de la bouche des enfants, consulter le livre de Pascal Naud intitulé *Mots d'enfants*, publié par City Éditions en 2010.

13. Ferland, F. *Mathilde raconte – L'univers de l'enfant d'âge préscolaire.* Montréal: Éditions du CHU Sainte-Justine, 2010, p. 20.

14. M. Lemay. *Famille, qu'apportes-tu à l'enfant?* Montréal: Éditions du CHU Sainte-Justine, 2001, p. 114.

15. J. Santoni. *Une famille formidable.* Paris: TF1 Éditions, 1995, p. 20.

16. P. Olivier. *Guide pour être de bons grands-parents.* Paris: Éditions de Vecchi, 2000, p. 128.

17. J. Ford. *Les merveilleuses façons d'être grands-parents.* Laval: Les Éditions Modus Vivendi, 1997.

18. M. Ward. *The Family Dynamic: A Canadian Perspective.* 3e édition, Scarborough, Ont.: Nelson Thomson Learning, 2002.

19. Statistique Canada. *Recensement 2006* (N° de cat. 7-554-YCB200 6007), Ottawa, 2007.

20. J. S. Éricson. *Superstitions, coutumes et croyances.* Montréal: Les Éditions Quebecor, 1998.

CHAPITRE 2

Le statut privilégié de grands-parents

*Les rêves d'une génération deviennent
la réalité des suivantes.*

Mihaly Karolui

*Après avoir eu le privilège d'assister à la naissance
de mon petit-fils, j'ai eu la larme à l'œil pendant près de
deux semaines. [...] À la réflexion, je crois que j'absorbais
beaucoup mieux le mystère et la merveille de la naissance
dans le rôle de grand-mère que dans celui de jeune
maman. À 22 ans, j'éprouvais de la terreur et de l'insécurité. À 57 ans, je ressens de l'émerveillement,
je suis remplie de gratitude.*

Sue Patton Thœle

Se faire féliciter de devenir grands-parents alors qu'on n'a
pas eu à porter l'enfant, ni à l'accoucher, pouvoir dire *notre*
petit-enfant sans devoir l'élever au jour le jour, avoir le
plaisir de l'accompagner dans sa découverte de la vie sans
devoir assumer les responsabilités quotidiennes, n'est-ce
pas là une situation idéale ?

La réaction des grands-parents est cependant fort différente d'une famille à l'autre. Certains considèrent qu'ils
n'ont aucun rôle à jouer auprès de leur petit-enfant et ne
ressentent aucune responsabilité ni raison de s'engager à

son égard, sur le plan affectif ou autre. Ils peuvent toutefois apprécier sa présence ou parfois, à l'inverse, trouver qu'un jeune enfant dérange.

D'autres nouveaux grands-parents aiment être près de leur petit-enfant, mais souhaitent protéger jalousement leur indépendance. La relation amicale qu'ils établissent avec lui est alors fortement teintée de ce désir de liberté ; ils se veulent libres de voir leur petit-enfant, de recevoir la famille et de garder le petit quand bon leur semble. Ils ont déjà élevé une famille et aspirent maintenant à un maximum de plaisir et à un minimum de soucis. Peut-être est-ce la crainte de devenir esclaves de leur petit-enfant qui les incite à adopter une telle attitude ?

Par ailleurs, nombreux sont ceux qui brûlent d'impatience d'avoir des petits-enfants et, quand le grand jour arrive, ils sont fous de joie. Ils sont très présents dans la vie de l'enfant et souhaitent créer des liens chaleureux avec lui. Certains s'engagent avec intensité, parfois même avec démesure ; d'autres ont le souci de respecter le rôle des parents et de ne pas s'ingérer dans l'éducation de l'enfant.

Nous l'avons déjà dit, la grand-parentalité se vit différemment d'une personne à l'autre et d'une famille à l'autre.

Décider du type de grands-parents que l'on veut être

Au départ, on peut choisir le nom que nous donnera le petit-enfant : grand-maman et grand-papa, grand-mère et grand-père, mamie et papi, pépé et mémé, ou encore notre prénom. On peut aussi réfléchir au type de relations que l'on souhaite créer avec le petit. En effet, si on ne peut choisir le moment où l'on devient grands-parents, on peut toutefois déterminer comment on veut se comporter à ce titre et le type de relations que l'on veut établir avec son petit-enfant quand ce jour arrive.

> Pendant que nous essayons de nous ajuster à ce nouveau rôle (de grands-parents), nous savons ce que nous ne voulons pas faire ou être, mais nous ne sommes pas sûrs de ce qu'il faut faire.
>
> *Line et Michel*

De fait, les grands-parents semblent avoir un sens plus aigu des comportements à éviter que de ceux à adopter[1].

> Ce que nous souhaitons, c'est connaître nos petits-enfants, qu'ils aiment notre compagnie. Dans notre jeunesse, c'était ennuyant d'aller chez les grands-parents. Nous voulons être pour eux une source d'amour et de tendresse, mais nous n'avons pas à les élever; c'est l'affaire des parents. Ça nous fait tout de même plaisir qu'ils soient bien élevés. Comme grands-parents, nous pouvons être plus égoïstes et profiter de leur présence.
>
> *Grands-parents de huit petits-enfants*
>
> J'aimerais qu'ils se souviennent de moi comme d'un grand-père présent et toujours disponible pour les écouter.
>
> *Marcel, grand-papa de trois petits-enfants*
>
> Je n'ai pas connu mes grands-mères et ça m'a manqué. Je souhaite que mes petits-enfants aient de beaux souvenirs de moi.
>
> *Paulette, grand-maman de Clothilde et Clarence*

Les questions qui suivent peuvent alimenter votre réflexion et vous aider à identifier le type de grands-parents que vous souhaitez devenir.

- Qu'avez-vous le plus apprécié de vos parents et de vos beaux-parents quand vous avez eu vos enfants?
- Qu'avez-vous le moins apprécié de vos parents et de vos beaux-parents quand vous avez eu vos enfants?
- Comment souhaitez-vous agir avec les parents de votre petit-enfant?
- Quels sont les souvenirs que vous gardez de vos grands-parents?

▸ Quels souvenirs souhaitez-vous que votre petit-enfant conserve de vous?

▸ Quelles sont les valeurs que vous voulez transmettre à votre petit-enfant?

▸ Quelle sorte de relation désirez-vous établir avec lui?

▸ Que voulez-vous lui apporter de particulier?

▸ Quelles sont les activités que vous souhaitez faire avec lui?

En répondant à ces questions, vous aurez une meilleure idée du type de relations que vous souhaitez établir et cela guidera votre façon d'agir avec l'enfant et ses parents.

Une relation affective chaleureuse dans l'harmonie des générations

Voilà ce à quoi aspirent la majorité des grands-parents d'aujourd'hui: ils veulent créer une relation chaleureuse, dans l'harmonie des générations, en misant sur l'amour et l'affection et en établissant des interactions significatives non compliquées parce qu'exemptes des responsabilités, des obligations et des conflits inhérents à la relation parents-enfant. En général, les grands-parents souhaitent établir des relations affectueuses avec leur petit-enfant par comparaison avec celles, beaucoup plus strictes ou autoritaires, qu'ils ont eues avec leurs propres grands-parents.

Les petits soucis quotidiens ne sont jamais graves pour ces grands-parents. Si, quand ils le gardent, l'enfant mange moins une journée, ils ne s'inquiètent pas pour autant puisqu'ils savent depuis longtemps qu'un repas occasion-nellement moins équilibré ne risque pas de ruiner la vie ou la santé de l'enfant. Leurs propres enfants en sont la preuve vivante, eux qui refusaient aussi de manger à l'occasion.

Si l'enfant se réveille plus tôt le matin chez ses grands-parents, là non plus, ce n'est pas dramatique. Il accompagne tout simplement le grand-parent dans son insomnie et le plaisir de la journée commence plus rapidement. Les grands-parents sont moins anxieux que les parents parce que l'expérience accumulée avec leurs propres enfants leur permet de relativiser les différentes situations.

Par ailleurs, les grands-parents ne sont pas évalués ou jugés en fonction des comportements de leurs petits-enfants, comme c'est le cas pour les parents. Ainsi, quand un enfant fait une crise en présence de ses parents dans un centre commercial, ce comportement est facilement interprété comme le signe que ceux-ci ne savent pas le contrôler ; si l'enfant n'écoute pas, c'est que les parents ne savent pas se faire obéir. Les grands-parents, eux, ont l'avantage de ne pas être responsables de son éducation et ne sont donc pas pointés du doigt pour un comportement inapproprié. En général, ils sont plus détendus que les parents et ils profitent davantage de la présence de l'enfant sans se faire de soucis pour tout. « Le lien étroit qui s'établit avec les petits-enfants prend très souvent des aspects ludiques ; éducateurs en second, les grands-parents sont des amuseurs en premier[7]. »

La plupart du temps de bonne humeur, ils sont souvent plus accommodants que les parents et l'enfant réagit positivement à une telle attitude. Le lien avec ses grands-parents est très agréable pour l'enfant parce qu'il ne s'inscrit pas dans des contraintes de temps ou d'efficacité, comme à la garderie ou à l'école. En général, la relation grands-parents/petit-enfant s'établit non pas sur le mode du conflit, mais bien sur celui de la connivence et de l'indulgence. Cette relation repose sur l'amour inconditionnel plutôt que sur le jugement.

> Les grands-parents voient tout ce qui est bien en moi et j'aime ça. Mes parents voient ce que je fais de mal. Mais comme mes grands-parents ne me voient que sous mon meilleur jour, je suis plus gentille quand je suis avec eux. [...] Ils savent mettre l'accent sur mes bons côtés.
>
> Les grands-parents gâtent les petits-enfants, mais ce n'est pas mal : c'est une sorte d'amour.

> J'aime aller chez ma grand-maman Marie, parce qu'elle est moins ordonnée que ma grand-maman Anne. Grand-maman Anne soupire toujours et dit «Oh! Mon Dieu!», mais grand-maman Marie, ça ne la dérange pas quand je fais des dégâts. Elle dit que ce qui est bien avec les dégâts, c'est qu'on peut toujours les nettoyer[3].

Il faut toutefois éviter de conclure que les grands-parents sont des êtres parfaits; il y a fort à parier qu'ils ont, dans leur rôle de parents, fait exactement ce que font leurs enfants aujourd'hui. Toutefois, comme ils sont dans une situation différente et plus facile que celle des parents, ils peuvent témoigner une affection plus sereine à l'enfant. Et puisqu'ils sont moins sur la ligne de feu que les parents, leur relation avec le petit-enfant est plus détendue.

L'absence de contraintes et de responsabilités n'est toutefois pas totale. L'enfant a besoin de limites. Il faut donc éviter de devenir des grands-parents «gâteau» qui laissent tout passer à l'enfant et qui font preuve d'une indulgence excessive à son égard. Ces limites, qui doivent être connues de l'enfant et respectées par l'entourage, lui apportent un sentiment de sécurité. Il est primordial d'éviter les incohérences et les désaccords et de s'entendre sur l'essentiel pour que l'enfant s'y retrouve. Dans le cas contraire, l'enfant risque de développer un sentiment d'insécurité et de chercher à tirer avantage des contradictions des adultes qui l'entourent.

Il n'est pas nécessaire que tout se passe de la même manière chez les parents et les grands-parents, mais il importe cependant de respecter les mêmes principes de base. Quand le petit-enfant est en visite chez ses grands-parents, il doit en effet y avoir une certaine continuité dans l'attitude des adultes à son égard, mais il peut être agréable qu'il y ait de petits changements dans les habitudes de vie. Certains comportements, comme des colères ou des crises de rage, ne sauraient être tolérés ni chez grand-maman ni à la maison. Cependant, certaines choses peuvent être différentes sans que cela ne cause de problèmes, par exemple la façon de préparer un plat ou la routine de la journée. Ces nouvelles habitudes de vie sont l'occasion pour l'enfant de découvrir de nouvelles façons de faire. Il peut même y avoir des exceptions chez les grands-parents : ainsi, la lecture d'une histoire avant la sieste de l'après-midi, une activité qui, chez lui, est réservée au soir, lui procurera beaucoup de plaisir. Comme le dit Davis[4], « les parents font les règles et les grands-parents reconnaissent le besoin de faire des exceptions ».

À l'inverse, il peut aussi y avoir des limites qui ne sont pas imposées à l'enfant chez lui : par exemple, dans la maison de grand-maman, tout le monde enlève ses chaussures en entrant et il est interdit de sauter sur les lits. L'enfant apprend alors que chaque maison a ses règles. Après l'âge de 3 ans, l'enfant est tout à fait capable de saisir la différence entre ce qui est acceptable et accepté à la maison et ce qui l'est chez ses grands-parents. Dans la mesure où les principes de base sont les mêmes, les différences dans les habitudes de vie ne créent pas de confusion chez l'enfant.

Par ailleurs, le rôle de grands-parents présente un avantage non négligeable : celui de pouvoir l'assumer à temps partiel. Contrairement aux parents, on peut choisir l'importance, le temps et l'intensité qu'on accorde à ce rôle. Les grands-parents n'ont pas à consacrer toutes leurs pensées et leur énergie au petit-enfant. Ils peuvent être plus ou moins disponibles en fonction du moment.

Pour certains, devenir grands-parents représente l'occasion de faire ce qu'ils n'ont pas eu le temps ou la possibilité de faire avec leurs propres enfants. Tel ce grand-père qui, en regardant manger son petit-fils de 2 ans, se faisait cette réflexion :

« Je pense que je n'ai jamais pris le temps de regarder autant mes propres enfants. »

En général, les grands-parents apprécient plus le moment présent que du temps de leurs propres enfants. Ils ne sont pas pressés de voir leurs petits-enfants grandir et devenir autonomes, comme le souhaitent souvent les parents.

> Quand mes fils étaient jeunes, j'avais toujours hâte de les voir vieillir et réussir telle ou telle activité. Je voulais être sûre qu'ils perform ent bien. Avec Clothilde, je suis plus «relax». Si elle ne fait pas telle ou telle chose, elle le fera plus tard. Avec elle, c'est le plaisir et la stimulation qui comptent. Je pense qu'en tant que grands-parents, on est moins anxieux, on relativise davantage les choses.
>
> *Paulette*

Certains ont l'impression d'avoir l'occasion de réparer le passé. D'autres poursuivent ce qu'ils ont toujours fait avec leurs propres enfants et ce nouveau rôle s'inscrit dans la continuité.

Différences entre grand-maman et grand-papa

Il existe des différences entre la façon dont la grand-maman et le grand-papa assument leur rôle respectif. Westheimer[5] compare la grand-mère à un ministre de l'Intérieur, car elle s'intéresse au côté affectif et aux relations entre les membres de la famille, alors que le grand-père fait davantage office de ministre de l'Extérieur en gérant les relations de la famille avec le monde extérieur. Tout comme la mère, la grand-mère est portée à parler au jeune enfant et à le cajoler. Le grand-père et le père ont une approche plus physique de l'enfant. De façon générale, il semble que le grand-père soit plus enclin que la grand-mère à prodiguer des conseils aux petits-enfants en âge de discuter, surtout en ce qui concerne l'école, la vie professionnelle et les finances. La grand-mère a généralement des sujets de discussion fort variés avec le petit, incluant entre autres les rapports interpersonnels tels que les liens d'amitié et les relations familiales.

> Ma femme est la confidente, celle qui communique beaucoup avec les petits-enfants. Moi, je les accompagne davantage dans leurs activités. J'apporte aussi de l'aide physique et financière, au besoin.
>
> *Michel, grand-papa de six petits-enfants*

> Je pense être plus permissif et plus tolérant que ma femme à leur endroit. Je ne suis pas pressé de les voir vieillir.
>
> *Marcel, grand-papa de trois petits-fils*

En général, la grand-mère a tendance à entretenir des rapports plus étroits et chaleureux avec son petit-enfant et à remplacer les parents plus souvent que le grand-père. Il arrive toutefois que la grand-mère prenne beaucoup de place auprès du petit et qu'elle l'accapare à un point tel qu'il n'en reste que très peu pour le grand-père. On remarque aussi ce comportement chez certaines mères avec leurs conjoints. Si l'on veut que les hommes s'engagent davantage auprès des enfants, encore faut-il leur laisser un peu de latitude et, surtout, ne pas critiquer systématiquement leur façon de faire. D'ailleurs, l'enfant tire profit des différents styles de relations : il apprend diverses façons d'interagir et découvre avec chacun des activités nouvelles. Il arrive aussi que le grand-père, tout comme le père d'ailleurs, se sente moins attiré par un nourrisson et développe plus d'intérêt pour l'enfant à mesure qu'il grandit.

Dans les familles sans père ou dont le père est absent, le grand-père peut offrir une image masculine stable qui est importante pour l'équilibre de l'enfant. Il jouera un rôle de modèle pour le petit. Il serait souhaitable que ce soit celui d'un homme chaleureux, qui s'intéresse aux autres, s'en préoccupe et s'investit dans les relations.

> C'était mon grand-père que je préférais. Il est mort maintenant, mais quand j'étais avec lui, ses amis venaient et ils disaient toujours : « Ton grand-père nous a dit comme tu es une bonne fille » et ça me faisait tellement plaisir que mon grand-père me vante tout le temps. Comme je n'avais pas de père, mon grand-père était toujours là pour me protéger. J'étais la petite fille de mon grand-père. Il était fier de tout ce que je faisais. S'il était encore en vie, il serait le premier à apprendre que j'ai été acceptée au collège. Il me manque[6].

Grands-parents maternels et paternels

De façon générale, les liens entre les grands-parents et les petits-enfants sont plus serrés dans la lignée maternelle que dans la lignée paternelle. Quand la nouvelle maman entretient une bonne relation avec sa mère, elle a plus souvent tendance à s'y référer qu'à sa belle-mère. Dans ce contexte, les grands-parents maternels, et particulièrement la grand-mère, risquent d'être plus proches de l'enfant que les grands-parents paternels. Il arrive toutefois que certaines circonstances renversent la tendance, notamment la distance physique entre les grands-parents maternels et leur fille, leur désir de ne pas s'engager auprès de leur petit-enfant, la maladie ou d'autres difficultés particulières.

Enfin, tu es arrivé dans notre vie comme un cadeau. On a beau prétendre qu'on est prêts à être grands-parents, les émotions sont trop grandes. Il est là, un homme en puissance, mais si fragile dans son petit corps de quelques heures seulement. Il a de la chance de naître entouré de tant d'amour. J'ai eu envie de lui dire, et je l'ai fait : « Sois fort, tu verras que la vie est belle. Donne-toi la peine de la découvrir en t'imprégnant de cette affection qui t'entoure en ce moment. »

Pour tes parents, tu es venu changer leur vie, mais avec tant d'amour. Pour nous, tes grands-parents, c'est un très grand bonheur que tu nous procures. Nous serons là pour combler tous tes besoins (petits ou grands) quand tes parents nous feront signe de les aider. Nous serons là pour t'accueillir et profiter de tes sourires ! Nous t'aimons tellement. J'espère que notre sagesse d'aînés t'apportera quiétude et calme dans toutes les petites difficultés de la vie. Sois fort, comme tu viens de le prouver en naissant tout à l'heure ! Je le redis : le bonheur est entré ce matin dans notre maison et il se nomme André ! Saurons-nous être à la hauteur de notre rôle de grands-parents ?

Pierrette, quelques heures après la naissance
de son premier petit-fils

La première chose que j'ai ressentie en le voyant (son arrière-petit-fils) fut de la tristesse : tristesse que mes parents n'aient pas eu la chance de connaître leurs petits-enfants et leur superbe arrière-petit-fils. Plus tard, j'ai réalisé que mes parents et grands-parents revivaient à travers Ari. Toutes leurs qualités humaines et intellectuelles se retrouvaient totalement chez lui[7].

Une arrière-grand-maman

J'avais 20 ans, j'étais émerveillée, amoureuse et idéaliste devant un monde à bâtir. Me voilà déjà grand-mère. Trois dizaines d'années se sont écoulées. Mère ou grand-mère, rien n'est acquis. Santé, scolarité, jeunesse, amour, croyance, tout est toujours en mouvement. Ces enfants et petits-enfants nous apportent un regain de fraîcheur et une transparence oubliée. Toujours facile? Non. Chacun sa personnalité, ses projets, sa façon de voir, alors l'écoute et le respect s'imposent, la discrétion également. Il ne faudrait jamais trahir une confidence. Que resterait-il de la confiance et de la connivence? Respect et discrétion : ce sont des règles d'or pour toutes les générations.

D'une naissance à l'autre, la vie m'a gratifiée d'une chance inouïe, d'un soleil nouveau. C'est comme si, dans mon jardin, un arbre se pointait sans prendre la couleur ni la résistance de l'autre. Toi, pommier aux fleurs de printemps, romantique et nostalgique, toi, chêne fier et droit sans peur du vent des lendemains, toi, érable, héritière des couleurs et de renouveau. Toi et tous les autres, chacun à votre façon, vous êtes dans mon cœur la richesse dans la différence.

Je rêve que l'enfant d'aujourd'hui, l'adulte de demain, demeure fidèle à lui-même, audacieux et persévérant dans ses choix. Je rêve aussi pour lui d'harmonie, de compassion, de tolérance et d'amitié.

Lise, grand-maman de huit petits-enfants

Saviez-vous que...

▶ Depuis 1985, le dimanche suivant la fête du Travail a été reconnu par la Fédération de l'Âge d'Or du Québec (FADOQ) comme la Journée des grands-parents. En 1996, le Parlement canadien reconnaissait officiellement cette journée comme la Journée nationale des grands-parents[8].

▶ Au Canada, un nombre croissant d'enfants – environ la moitié des enfants au Québec et le tiers des enfants au Canada – naissent de partenaires en union libre. Ainsi, une minorité significative de personnes deviennent grands-parents par le biais des relations de cohabitation ou d'union de fait de leurs enfants.

▶ Sainte-Anne est la patronne des grands-parents, mais aussi celle des institutrices, des dentellières, des tisserands et des mineurs[9].

▶ D'ici les 5 ou les 10 prochaines années, le nombre de personnes âgées de 65 ans ou plus surpassera celui des enfants de 14 ans ou moins pour la première fois de l'histoire canadienne[10].

Notes

1. C. Rosenthal et J. Gladstone. *Op. cit.*

2. C. Attias-Donfut et M. Segalen. *Grands-parents: la famille à travers les générations.* Paris: Odile Jacob, 1998.

3. Témoignages tirés de J. Ford. *Op. cit,* p. 87.

4. A.J. Davis. *Listening and responding.* St-Louis: Mosby, 1984, p. 122.

5. R. K. Westheimer et S. Kaplan. *Profession: grands-parents.* Paris: Osman Eyrolles, 2000.

6. Témoignage tiré de J. Ford. *Op.cit.* p. 87.

7. R. Weistheimer et S. Kaplan. *Op. cit.* p. 3.

8. http://www.collectionscanada.gc.ca/eppp-archive/100/201/301/hansard-f/35-1/208_95-05-31/208PB1F.html

9. L. Albert. *Grands Saints: mystère, histoires, actualité.* Paris: Éditions de Vecchi, 1997.

10. Voir le site de l'Institut Vanier, sous l'onglet «sujets de recherche». http://30645.vws.magma.ca/fr/node/154. Choisir ensuite la catégorie «bien-être de la famille» puis l'aspect «personnes âgées».

CHAPITRE 3

Parents d'adultes devenus parents à leur tour

*Si vous voulez rendre vos enfants meilleurs,
donnez-leur l'occasion d'entendre tout le bien
que vous en dites à autrui.*

Haim Ginott

*Les jardins me rappellent les enfants. Vous pouvez
admirer ceux des autres en toute objectivité,
mais rien ne vaudra jamais le plaisir et la satisfaction
que vous retirez du vôtre.*

Helen Gunn

Devenir grands-parents, c'est se retrouver avec des enfants
devenus parents à leur tour. Désormais, ce sont eux qui
jouent le rôle qu'on a soi-même tenu pendant tant d'années.
Il faut dès lors accepter que notre propre rôle parental passe
au second plan.

J'adore être grand-mère et avoir ce merveilleux petit être,
Emma, dans ma vie. Je suis reconnaissante de son existence
à mon fils et à son épouse… Cela me manque qu'il (mon fils)
n'ait pas besoin de moi en tant que mère. Je sais que cette
partie de ma vie est finie, mais celle-ci définissait tellement
ce que j'étais. Il n'est pas si facile de changer ça[1].

Jeanne, grand-mère d'Emma

Dans les premières années de la vie de l'enfant, l'interaction grands-parents/petit-enfant passe, la plupart du temps, par la génération intermédiaire, c'est-à-dire ses parents ; les contacts s'établissent en leur présence. Le lien entre les grands-parents et le petit-enfant est donc un lien indirect ou, pourrait-on dire, un triangle relationnel ou amoureux qui, comme toute relation de la sorte, présente de nombreux défis à relever pour maintenir une saine harmonie dans la famille.

Le fait d'apprendre à devenir grands-parents tout en étant parents d'adultes comporte de nombreux pièges en dépit de l'aspect enviable de ce nouveau rôle décrit au chapitre précédent.

Pièges à éviter

Quand on devient grands-parents, on commence une nouvelle histoire d'amour avec le tout-petit. Et on le sait, lorsqu'on tombe amoureux, on peut parfois faire preuve d'égoïsme ou être un peu aveugle. Voilà pourquoi on peut aisément tomber dans les pièges suivants.

Ingérence dans les décisions parentales

Le premier et sans doute le plus dangereux de tous ces pièges est l'ingérence des grands-parents dans les décisions parentales concernant l'éducation ou les habitudes de vie de l'enfant. Cette ingérence prend différentes formes. Il peut s'agir de commentaires insidieux, pleins de sous-entendus.

« Il n'engraisse pas et il est pâle, non ? » Sous-entendu : « Il a l'air malade, vous n'en prenez pas bien soin. »

« Je lui ai fait une purée de légumes : il s'est littéralement jeté dessus. » Sous-entendu : « Moi, je sais le nourrir adéquatement. »

« Il commence déjà la garderie le mois prochain ? » ou « Tu veux lui faire percer les oreilles ? » Sous-entendu : « Vous ne prenez pas les meilleures décisions pour l'enfant. »

L'ingérence dans l'éducation de l'enfant peut aussi se manifester par des avis plus intrusifs.

« Il n'est pas encore propre à 15 mois ? Toi, à 13 mois, je t'avais déjà entraînée à la propreté ; des couches, tu n'en avais plus. »

Voilà une façon fort peu subtile de souligner ce qui semble à la grand-mère un laisser-aller dans l'éducation de l'enfant.

« Tu devrais commencer à lui donner des céréales. C'est pour ça qu'il ne fait pas encore ses nuits. »

Les temps ont changé ; autrefois, les bébés commençaient à manger des céréales très tôt. Autres temps, autres mœurs.

« Tu le laisses jouer à l'ordinateur ? Ce n'est pas bon pour ses yeux. »

« Il choisit lui-même ses vêtements ? Il va finir par penser qu'il est le roi de la famille et il va vous mener par le bout du nez, crois-en mon expérience. »

« Tu prends le bébé dans tes bras dès qu'il se met à pleurer, tu vas le gâter ; tu sauras me le dire. »

Dans ces exemples, la grand-maman se pose en autorité absolue et s'ingère dans l'éducation des enfants.

« Voyons, une petite sucrerie ne peut pas faire de mal. »

Avec une telle remarque, la grand-maman sape l'autorité des parents et ne respecte pas leurs valeurs.

L'ingérence peut aussi se faire en l'absence des parents, lors de contacts directs avec l'enfant.

« Tes parents ne veulent pas te donner de gomme à mâcher ? Viens, moi, je t'aime et je vais t'en donner. »

Confusion assurée chez l'enfant ; ses parents ne lui donnent pas de gomme à mâcher parce qu'ils ne l'aiment pas autant que mamie ?

Une telle ingérence est accentuée lorsque, pour diverses raisons, la grand-mère ou le grand-père vit avec la jeune famille. La tentation peut alors être grande de s'impliquer dans l'éducation de l'enfant en y allant allègrement de ses conseils et de ses commentaires.

Pourquoi certains grands-parents adoptent-ils une telle attitude? On peut avancer plusieurs raisons. Les grands-parents désirent peut-être entretenir une relation autoritaire afin de conserver l'emprise qu'ils avaient sur leur enfant. Les parents sont pourtant parvenus à une maturité physique, intellectuelle et affective; ils sont donc en mesure de prendre leurs décisions, de faire leurs choix de vie, incluant celui d'avoir des enfants et de les élever à leur convenance. Avec des enfants devenus parents, il faut donc créer un nouveau lien qui soit davantage de type égalitaire qu'autoritaire.

Les grands-parents peuvent aussi avoir de la difficulté à se distancer de leur enfant pour le laisser prendre ses propres décisions et faire ses propres expériences; les grands-parents justifient alors leur attitude en disant qu'ils veulent éviter tout problème, erreur ou difficulté à leur enfant. Tous les parents veulent soustraire leur enfant aux dangers, prévenir les accidents et le protéger de tout. Un tel comportement est normal et souhaitable quand l'enfant est tout petit. Toutefois, à mesure qu'il grandit, les parents doivent apprendre à s'en distancer et à le laisser vivre sa vie comme il le souhaite, à plus forte raison quand cet enfant devient parent à son tour. Même si on désire le faire bénéficier de son expérience passée et l'empêcher de répéter les erreurs qu'on a déjà commises soi-même, il est impératif de le laisser faire ses choix, mener sa vie comme il l'entend et éduquer ses enfants à sa façon. C'est le lot de la génération qui précède de toujours vouloir faire bénéficier celle qui suit de l'expérience accumulée, même lorsque cette dernière ne demande rien. Or, chacun doit faire ses propres expériences. Les grands-parents ne doivent pas devenir les entraîneurs des parents, mais les soutenir dans cette nouvelle tâche grâce à leurs encouragements et à leur appui indéfectible.

Il faut également bannir toute phrase commençant par: «Dans mon temps...». Tous les parents réagissent négativement à ce rappel d'un passé où les choses se faisaient autrement et où tout était, semble-t-il, tellement bien. À éviter aussi : les petits mots doux laissant croire qu'on s'approprie l'enfant, tels que « mon bébé ».

Rôle de médiateurs : attention, danger !

Les grands-parents sont parfois sollicités pour agir comme médiateurs lors de conflits. Même si, dans l'immédiat, leur apport est apprécié, le risque qu'on leur en veuille d'avoir dû faire appel à eux est réel. Lorsque cela est possible, mieux vaut s'en abstenir. Une écoute active des doléances des parents est plus utile qu'une participation à la résolution du problème. Le fait d'être engagé, même de loin, dans la dynamique familiale plaide en faveur d'un recours à une aide extérieure si le problème est sérieux.

Rivalité grand-mère/fille ou grand-mère/bru

Selon une étude française[2], 32 % des grands-parents sont en désaccord avec l'éducation donnée au petit, surtout dans le foyer de leur fils et de leur belle-fille. Il n'est dès lors pas étonnant que l'éducation de l'enfant devienne fréquemment source de désaccord et fasse surgir une rivalité ou une confrontation quant aux principes éducatifs à privilégier. Plus souvent qu'autrement, cette rivalité met en cause la grand-mère et sa bru ou sa fille. La grand-mère considère sa méthode comme la meilleure alors que sa bru ou sa fille l'estime dépassée : « Ce n'est plus comme ça qu'on fait aujourd'hui. »

De tels problèmes sont plus ou moins fréquents selon la relation qui existait entre elles avant la naissance de l'enfant. Si la mère ou la belle-mère critiquait déjà constamment les actions de sa fille ou de sa bru ou si cette dernière s'opposait systématiquement à ses avis, le problème de rivalité et de confrontation risque de se poursuivre après la naissance de l'enfant.

Dans les familles recomposées, de tels désaccords peuvent être accentués par la présence de plusieurs grands-mères qui se disputent parfois le monopole du savoir-faire en matière d'éducation.

La sagesse d'une grand-mère n'est pas de nier avoir des divergences avec sa fille ou sa bru, mais bien de les garder pour elle.

Rivalité entre les grands-parents paternels et maternels

Il peut arriver qu'une forme de rivalité naisse entre les grands-parents maternels et paternels. Si les uns font plus d'activités avec le petit, le voient plus souvent ou reçoivent plus souvent sa visite, les autres peuvent développer une certaine jalousie et craindre d'être moins aimés. Lors des réunions de famille, on peut également ressentir une petite pointe de jalousie lorsqu'on voit son petit-fils ou sa petite-fille se précipiter dans les bras de l'autre grand-parent. On souhaiterait être ceux que les petits-enfants préfèrent.

> Comme mes enfants vont dîner tous les jours chez leurs grands-parents paternels, je sens que ma mère craint qu'ils l'aiment ou l'apprécient moins. Elle a toujours eu cette crainte, mais maintenant, ça me semble plus fort depuis que mes beaux-parents voient mes enfants tous les jours. C'est peut-être la raison pour laquelle ma mère les appelle aussi souvent.
>
> *Marilyne, mère de trois enfants*

> Un jour, mon petit-fils qui avait 8 ans m'a dit : « Tu sais, mon autre grand-mère m'aime plus que toi. » Je lui ai dit : « Oui ? Comment sais-tu ça ? » Il m'a répondu : « Elle me l'a dit. » Ce chantage émotif fait par l'autre grand-mère m'a fait mal. Je n'ai pas voulu aller plus loin dans cette conversation avec lui. Je me suis contentée de rassurer mon petit-fils sur mon amour, mais je trouve cela odieux de dire de telles choses à un jeune enfant.
>
> *Grand-maman de cinq petits-enfants*

Cette rivalité se manifeste parfois par une course au cadeau le plus somptueux qui soit ; on souhaite offrir à l'enfant un cadeau plus cher, plus sophistiqué que les autres grands-parents, pensant ainsi s'attacher davantage l'enfant.

Pourtant, en voulant posséder les personnes qu'on aime, on risque plutôt d'empoisonner les relations. Au lieu d'envier les autres grands-parents, pourquoi ne pas tisser des liens chaleureux avec notre petit-enfant ? Parce qu'elle est différente de celle qu'il entretient avec ses autres grands-parents, cette relation enrichira la vie de ce dernier.

Prendre systématiquement parti pour l'enfant

Donner systématiquement raison à l'enfant de se plaindre de ses parents contribue à compliquer la relation parents/grands-parents. Un tel comportement laisse croire que les grands-parents désirent s'approprier le petit-enfant. En critiquant, en jugeant et en réprouvant les parents, ils agissent en quelque sorte comme s'ils voulaient les remplacer.

« Ta maman t'a chicané, mon chéri ? Viens, mamie va te consoler. »

En plus de miner l'autorité des parents, ce type de commentaire brise la continuité de conduite parmi les adultes qui entourent l'enfant et provoque chez lui un sentiment de confusion.

Quand l'enfant se plaint de ses parents, ses grands-parents doivent écouter attentivement ce qu'il a à dire, mais il est préférable qu'ils restent neutres. Il peut alors être indiqué de répondre à l'enfant : « Je vois que tu trouves cette situation difficile ; peut-être pourrais-tu en parler avec tes parents ? »

Prendre systématiquement parti pour les parents

À l'inverse, certains grands-parents prennent systématiquement le parti des parents. Ce comportement peut également créer des tensions, car l'enfant a alors le sentiment que tous les adultes se liguent contre lui.

Les grands-parents n'ont pas à prendre position dans les conflits familiaux ; les décisions relatives à l'enfant reviennent aux parents. Ils peuvent néanmoins offrir une oreille attentive aux doléances des petits-enfants et à celles des parents.

Porter toute l'attention au petit-enfant au détriment de ses parents

La naissance d'un petit-enfant est un événement porteur de grande joie. Rapidement, le petit prend beaucoup de place dans le cœur de ses grands-parents. Un peu comme le nouveau père se sent parfois mis de côté par son épouse après la naissance d'un enfant, certains nouveaux parents se sentent relégués au second plan par les grands-parents ; l'enfant prend toute la place dans leur vie et leur attention lui est entièrement dévolue.

> Dès que ma fille aînée est née, je n'existais plus pour ma mère ; encore aujourd'hui, quand elle téléphone, ses premiers mots sont toujours pour demander comment vont les enfants ; c'est à peine si elle prend le temps de me dire bonjour.
>
> *Marilyne, mère de trois enfants*

Même adultes, même lorsqu'ils sont eux-mêmes parents, les enfants ont encore besoin de savoir qu'ils comptent pour leurs parents, qu'ils sont importants pour eux. Bien sûr, ce petit être arrivé dans leur vie comme un cadeau du ciel a de quoi enjôler les nouveaux grands-parents, mais il faut faire attention de ne pas négliger ceux grâce à qui cela a été possible.

Utiliser l'enfant comme informateur

Quand l'enfant raconte un événement survenu chez lui, les grands-parents peuvent être tentés de lui soutirer des informations en le questionnant sur la relation entre ses parents et sur leurs réactions à divers événements afin de satisfaire une curiosité malsaine. Utiliser l'enfant comme informateur se produit aussi dans certaines familles recomposées : les grands-parents sont parfois tentés de chercher à savoir comment se comporte le nouveau conjoint de la maman ou la nouvelle amie du papa et ce qui se passe dans la nouvelle famille. Questionner ainsi l'enfant risque de le mettre mal à l'aise et de compromettre sa relation avec ses grands-parents.

Présence étouffante

Certains grands-parents imposent une présence étouffante et lourde à supporter; les jeunes parents ont alors du mal à prendre leur place dans leur propre vie, à évoluer comme des êtres humains, à instaurer leur propre fonctionnement familial et à se créer un cercle d'amis et un quotidien qui leur ressemble. Un tel envahissement est loin d'être souhaitable et peut devenir gênant. Il peut prendre la forme d'habitudes exigeantes qu'instaurent les grands-parents. Ils peuvent par exemple s'attendre à ce que leurs enfants les appellent quotidiennement. L'espace d'intimité nécessaire à la petite famille est envahi et les parents se sentent coupables de ne pas toujours répondre aux attentes des grands-parents.

> Ma grand-mère a toujours été très présente dans ma vie: elle me faisait toutes mes robes, même celles de ma première communion et de mon mariage. Avec le recul, je réalise qu'elle était quelque peu intrusive. Elle ne se laissait pas désirer: elle appelait tous les jours, elle venait fréquemment à la maison. Elle s'immisçait constamment dans notre vie familiale. Je comprends mieux aujourd'hui certaines réactions d'impatience de ma mère à son endroit. Heureusement que ma mère n'a pas reproduit cette attitude quand elle est elle-même devenue grand-mère.
>
> *Michèle, 56 ans*

Au premier chapitre, nous avons expliqué que les grands-parents étaient les transmetteurs des traditions familiales. Celles-ci peuvent devenir étouffantes et difficiles à gérer pour la jeune famille. Il suffit de penser à la traditionnelle visite chez les grands-parents le dimanche après-midi. Cela se faisait il y a quelques décennies; tous les dimanches, les familles se réunissaient chez les grands-parents. Aujourd'hui, la situation est différente. Les parents, qui travaillent tous les deux pendant la semaine, ont besoin du dimanche pour compléter leurs tâches ou simplement pour passer du temps avec leurs enfants. Les parents risquent de se sentir coupables s'ils ne peuvent perpétuer la tradition, et les deux parties seront alors malheureuses. Évitons de transformer des habitudes en traditions lourdes à supporter. Les traditions s'inventent et se réinventent. Ainsi, si on avait l'habitude de recevoir la famille pour le réveillon de Noël, la présence du jeune enfant peut justifier de recevoir plutôt au souper pour éviter de le réveiller au milieu de la nuit. Les parents sauront gré aux grands-parents de faire preuve d'une flexibilité qui tient compte de leur réalité.

Chez certains grands-parents, une présence envahissante peut trouver sa source dans le fait que le nouveau petit-enfant est leur seul centre d'intérêt. Toute leur vie tourne autour de cet enfant ; tout est fait en fonction de lui. Les activités ou les personnes qui lui sont étrangères sont mises de côté. Ils téléphonent tous les jours pour prendre de ses nouvelles, font régulièrement des achats pour lui et s'attendent à ce qu'il leur rende fréquemment visite.

Toute personne a besoin d'amis de son âge, d'intérêts variés et d'activités diverses : ce sont les fondements d'une vie équilibrée. Si les grands-parents pensent à eux-mêmes, ont une vie bien remplie et des amis pour répondre à leurs besoins de socialisation, ils risquent moins de s'attendre à ce que leur petit-enfant ou sa famille satisfasse tous leurs besoins. Par ailleurs, une vie distincte de leur rôle de grands-parents enrichit leur relation avec le petit-enfant. Ils ont alors des anecdotes à lui raconter, de nouvelles connaissances à partager avec lui et ils éprouvent un plaisir toujours renouvelé de le voir ; dans un tel contexte, l'enfant lui-même a davantage de plaisir à retrouver ses grands-parents. Par contre, si les grands-parents vivent leur vie entière par l'intermédiaire de leur petit, ils risquent de tomber dans le piège suivant : en faire trop.

En faire trop

S'il ressemble au précédent, ce piège-ci s'en distingue toutefois par des initiatives excessives de la part des grands-parents. Sans tenir compte des besoins réels des parents, les grands-parents prennent des initiatives qui leur font plaisir à eux. Par exemple, ils insistent pour que les parents s'offrent une sortie en couple, même s'ils n'en ont nullement envie :

« Nous sommes venus garder notre petit chou ; prenez votre soirée pour aller au cinéma. Allez, nous nous occupons de tout : allez, allez, ça vous fera du bien. »

« Nous allons garder notre cher petit pour la journée : vous avez sûrement plein de choses à faire tous les deux. »

Dans d'autres cas, les grands-parents prennent des décisions sans consulter les parents :

« Je lui ai acheté une nouvelle sorte de couches ; elles sont beaucoup plus confortables que celles que tu utilises. Ah oui, en passant, j'ai commencé à lui donner une cuillerée de céréales avec son lait : elle adore ça ! »

« Je lui ai acheté un petit téléviseur pour qu'il puisse écouter ses émissions dans sa chambre ; il aimera ça, j'en suis sûr. »

En prenant de telles initiatives sans en parler aux parents, les grands-parents ne tiennent pas compte de leurs valeurs et s'immiscent dans leurs choix éducatifs. Cela va parfois jusqu'à offrir un animal à l'enfant sans en discuter au préalable avec les parents ; pourtant, l'acquisition d'un animal domestique représente une décision importante qui revient à la famille. Ces grands-parents veulent faire plaisir, mais ils en font trop.

L'intensité et la fréquence des initiatives prises par les grands-parents leur enlèvent toute valeur. Même s'ils n'en sont pas réellement conscients, les grands-parents prennent une place démesurée dans la vie de l'enfant en agissant ainsi. Le dicton populaire ne dit-il pas : « Trop, c'est comme pas assez » ?

Pour résoudre les problèmes d'ingérence excessive ou de présence envahissante des grands-parents, certains parents limitent les contacts avec eux. Cette décision est souvent perçue comme cruelle par les grands-parents, mais, dans certains cas, c'est la seule option possible pour que parents et enfants aient une vie familiale saine.

Désir immodéré d'être au centre de la vie familiale

Il arrive que certains grands-parents réagissent négativement quand leurs enfants se voient en dehors de leur
présence. Ils sont peinés d'apprendre qu'ils se réunissent
parfois pour un souper sans eux. Pourtant, il est préférable
que le lien entre les enfants d'une même famille ne passe
pas toujours par les parents. Ainsi, quand ils ne seront plus
là, les relations se poursuivront plus facilement que si les
parents ont toujours été au cœur des contacts fraternels.

Susciter la jalousie entre les enfants

S'ils n'y prennent pas garde, les grands-parents peuvent aussi
susciter de la jalousie entre leurs enfants. Ce peut être le cas
quand, au cours de discussions familiales, ils critiquent le
comportement parental de l'un d'eux ou soulignent avec
un peu trop de fierté les réussites éducatives d'un autre.
« As-tu vu ton frère ? Il est vraiment un père exceptionnel ! »
« Tu vas avoir des problèmes avec tes enfants. Tu leur laisses
tout faire. Tu devrais prendre exemple sur ta sœur. »

Si cette attitude peut susciter de la jalousie entre les
enfants, elle peut également les amener à conclure que
l'amour de leurs parents n'est pas le même pour eux et leur
frère ou sœur ou pour leur enfant et leurs neveux et nièces.

Exploitation ou critique des grands-parents par leurs enfants

Contrairement aux situations précédentes qui sont en lien
avec l'attitude des grands-parents eux-mêmes, les parents
aussi peuvent créer des contextes problématiques.

Ainsi, certains grands-parents sont exploités par leurs
enfants. Ils sont tellement sollicités qu'ils n'ont plus une
minute à eux. On leur demande de garder l'enfant les fins
de semaine, d'aller le chercher à la garderie ou à l'école, de
le conduire à des rendez-vous et de faire certaines courses.
Les parents considèrent ces demandes comme normales,
particulièrement quand les grands-parents sont à la retraite,

et comme allant de soi. On peut pourtant y voir une forme d'exploitation des grands-parents, qui se retrouvent constamment au service de leurs enfants.

Si les grands-parents sont devenus la seule ressource de la famille, c'est peut-être parce que, d'une part, les parents ont systématiquement fait appel à eux sans réfléchir davantage dès les premiers mois de vie de l'enfant et que, d'autre part, les grands-parents ont toujours répondu positivement à leurs demandes.

Les grands-parents qui gardent leur petit-enfant pour un week-end risquent de mettre quelques jours à se remettre de la fatigue accumulée, surtout s'il est jeune et qu'il se réveille la nuit. En vieillissant, on ne se rendort pas aussi rapidement lorsqu'on est réveillé pendant la nuit. Ils garderont avec plaisir leur petit-enfant pour un week-end de temps en temps, mais c'est beaucoup leur demander de le faire toutes les deux semaines. Ils doivent apprendre à dire non de temps à autre pour éviter les excès. Ce n'est pas de l'égoïsme de leur part, mais plutôt une façon de protéger leur santé.

Il est important pour les parents d'avoir un bon réseau social pour ne pas épuiser les grands-parents. En identifiant des personnes qui peuvent les aider à l'occasion, les parents se donnent les moyens d'éviter de créer des situations problématiques. Quand ils ont autre chose de prévu, les grands-parents seront plus à l'aise de répondre négativement à une demande s'ils savent que les parents peuvent compter sur d'autres personnes. En revanche, ils seront très heureux de répondre positivement aux demandes occasionnelles et ils auront aussi davantage de plaisir avec leurs petits-enfants. Ainsi, il est important de trouver un équilibre lorsqu'on demande de l'aide aux grands-parents.

D'autres grands-parents sont constamment critiqués par leurs enfants, quoi qu'ils fassent. Toutes leurs initiatives sont jugées inadéquates par les parents, qui trouvent les grands-parents dépassés, trop sévères ou trop conciliants.

Tous ces pièges peuvent empêcher les grands-parents d'établir une interaction chaleureuse et sereine avec leur petit-enfant.

Pour plus de plaisir

Sur le plan rationnel, on convient aisément de l'existence de ces pièges potentiels. Or, ce n'est pas sur ce plan que les choses se jouent, mais plutôt sur celui des émotions. C'est pourquoi il n'est pas facile d'éviter toutes ces situations conflictuelles. Aimer ses petits-enfants vient naturellement, mais il n'est pas aussi évident de doser cet amour et ses manifestations pour le bénéfice de tous. Toutefois, certaines pistes aident à éviter ces pièges et à favoriser l'émergence du plaisir dans le rôle grand-parental.

Avoir bonne mémoire

Les grands-parents ont avantage à se rappeler leur propre expérience de parents. Peut-être ont-ils eux-mêmes été victimes de l'ingérence indue de leurs parents ou de leurs beaux-parents ? Peut-être ont-ils, au contraire, eu la chance de vivre avec eux une relation chaleureuse et de bénéficier de leur soutien ? Pourquoi ne pas adopter l'attitude qu'on aurait souhaitée ou qu'on a appréciée ? La règle de non-ingérence et d'harmonie entre les générations est de loin préférable à celle de l'autorité des aînés sur la génération suivante, et tous bénéficient d'une telle attitude.

Il est important de toujours se rappeler que, pour l'enfant, l'autorité relève des parents. Il faut donc leur faire confiance. Les estimer capables de jouer à leur tour leur rôle parental, c'est s'en remettre à l'éducation qu'on leur a donnée. On a élevé ses enfants comme on le voulait ; c'est maintenant à leur tour de jouer leur rôle d'éducateur comme ils l'entendent.

Se parler

Comme dans toute relation humaine, les problèmes de communication sont fréquents dans la relation grands-parents/parents. En effet, il arrive souvent qu'il y ait distorsion entre l'intention sous-jacente à un comportement des parents ou des grands-parents et l'interprétation de ce comportement par l'autre partie. C'est alors que surgissent et persistent les frictions, les mésententes et même les querelles. Il est impératif d'éviter un tel flou entre grands-parents et parents, car cela pourrait avoir pour effet d'ébranler le petit et de l'insécuriser.

Éviter de porter des jugements sur le comportement des parents et manifester une neutralité bienveillante, voilà qui favorise la communication en évitant les conflits. Échanger pour se comprendre et pour soutenir et non pour dicter une conduite, donner des leçons ou avoir raison, clarifier ce qui nous ennuie, ce qui nous dérange, expliquer sereinement comment on perçoit la situation, voilà autant de moyens pour améliorer la relation entre les grands-parents et leurs enfants.

> Je suis une belle-mère qui se mêle de ses affaires. J'aime mieux qu'on me demande plutôt qu'on me dise de me retirer. Mes parents étaient pesants. Mon père avait toujours raison et, quand mes enfants étaient jeunes, il venait chez nous à toute heure du jour. Par ses commentaires, je me sentais toujours jugée. Je ne voulais surtout pas reproduire une telle situation avec mes enfants. Je garde donc une distance, mais ils savent que je suis là s'ils ont besoin de moi.
>
> *Andrée, mère de quatre enfants dont deux*
> *sont eux-mêmes parents*

« Le jeune parent éprouve à la fois le désir d'être soutenu dans sa tâche par ses géniteurs et celui de se distancier de leurs modes d'éducation en se méfiant un peu de leur emprise[3]. » Ce besoin de se distancer peut inciter certains parents à faire des commentaires qui sont perçus comme blessants par les grands-parents alors qu'ils ne sont que maladroits.

Rassurer les parents quant à leurs compétences parentales

Tous les nouveaux parents ont en commun le besoin primordial d'être rassurés quant à leurs compétences parentales. « Suis-je une bonne mère, un bon père ? Est-ce que j'adopte la bonne attitude ? » Ils ont besoin de trouver leur façon personnelle de faire, leur point de référence et leur mode de fonctionnement en tant que parents. Quand ils se questionnent ou qu'ils manifestent une certaine inquiétude quant à leur façon de faire avec l'enfant, il est mille fois plus utile de les écouter attentivement que de leur prodiguer des tonnes de conseils. D'ailleurs, les parents sont plus enclins à discuter de leurs inquiétudes avec les grands-parents qui leur offrent une oreille attentive sans juger ni critiquer.

Plus les parents ont confiance en eux, mieux ils réussissent à transmettre ce sentiment à leur bébé. Les grands-parents doivent prendre le temps de les écouter, de les rassurer et de leur faire prendre conscience de leurs habiletés parentales afin de les aider à se faire confiance et à cheminer dans leur rôle. En ce sens, toutes les occasions sont bonnes pour leur montrer qu'ils connaissent bien leur enfant. Ainsi, la jeune mère qui trouve difficile les premiers mois de vie avec son enfant, mais qui sait reconnaître sa position préférée ou interpréter ses cris appréciera qu'on lui fasse remarquer : « Tu sais déjà ce qu'il aime ! » ou « Tu le comprends bien : moi, je ne reconnais pas encore aussi bien ses pleurs. »

Il arrive que les parents demandent aux grands-parents leur avis sur un point touchant l'éducation de l'enfant. Il faut alors prendre soin de présenter son point de vue en le relativisant et en le nuançant :

« Peut-être que ce serait une bonne idée de faire ceci ou cela, mais tu sais, c'est difficile à dire quand on ne vit pas tous les jours avec l'enfant. »

« Tu peux peut-être essayer telle chose, mais rien n'est garanti ; chaque enfant réagit différemment. »

« Agir de telle façon pourrait peut-être aider, mais c'est à toi de voir si ça convient à ton enfant. Tu le connais beaucoup mieux que moi. »

Nuancer de la sorte ses suggestions est une marque de respect pour les parents. D'ailleurs, qui peut se targuer de connaître LA bonne façon d'agir avec un enfant dans toutes les circonstances ? Il n'existe pas de mode d'emploi pour élever un enfant. Les grands-parents doivent éviter de se poser en spécialistes qui ont réponse à tout. Il est préférable d'aider les parents à se rendre compte qu'ils sont les mieux placés pour décider de ce dont l'enfant a besoin.

Offrir une présence chalcureuse et non étouffante

Que les grands-parents soient disponibles et présents dans la vie de leurs enfants et de leurs petits-enfants, c'est bien. Qu'ils le soient d'une façon à la fois discrète et chaleureuse, c'est encore mieux. Pour y parvenir, il faut faire preuve de tact, de diplomatie et de respect. On évitera de nombreux conflits en étant à l'écoute des parents et disponibles pour répondre à leur appel, tout en respectant ce qu'ils souhaitent comme aide de la part des grands-parents.

Et cela commence dès l'arrivée du bébé. Au cours des semaines qui suivent la naissance, les nouveaux parents doivent organiser leur vie avec le nouveau-né. Ils ont à revoir leurs habitudes, à réorganiser leurs activités. Une telle tâche requiert une certaine intimité que les grands-parents doivent respecter. Mieux vaut attendre que les parents demandent de l'aide plutôt que de s'imposer. Quand les grands-parents sont sollicités par les parents pour garder l'enfant chez lui ou pour participer à des tâches ou à des activités, il est sage de faire les choses comme ces derniers le désirent. Le fait de s'en soucier constitue une manifestation de respect. En adoptant une telle attitude, on reconnaît la place des parents dans la vie de l'enfant et dans leur propre maison.

À chacun son rôle

Si les grands-parents réussissent à éviter ces pièges et à mettre en place des stratégies pour y parvenir, chacun pourra alors jouer son rôle. Les parents décideront de l'éducation à donner à leur enfant. Les grands-parents pourront soutenir les jeunes parents dans leur nouveau rôle et contribuer à l'établissement de relations harmonieuses dans la famille. Il ne leur restera plus qu'à avoir du plaisir avec leur petit-enfant et à lui donner de l'amour.

Pour mes parents, la naissance de mon premier enfant a été comme une bénédiction du ciel à ce moment précis de leur vie. Ma fille représentait pour eux une occasion de s'investir tous les deux dans une nouvelle relation. De mon côté, cette naissance m'a forcé à me rapprocher de mes parents alors que je n'en avais pas tellement envie. Par leur attitude envers ma fille, j'ai revécu mon enfance avec eux et cela n'avait pas toujours été facile pour moi.

Ma mère, qui est du mode de relation du tout ou rien, s'est investie de façon excessive envers Camille : elle transgressait les principes éducatifs que nous voulions inculquer à notre fille. Quand on lui disait ce qu'on voulait et ce qu'on ne voulait pas, elle acquiesçait, mais elle faisait à sa tête dès qu'on avait le dos tourné. Mon père, lui, est une personne de nature inquiète. Quand il aime quelqu'un, il s'inquiète pour cette personne. Il posait de nombreux interdits à ma fille de crainte qu'elle ne se fasse mal. Mais cela avait aussi des côtés positifs : quand elle a dû être hospitalisée pour des problèmes d'asthme, son inquiétude l'a amené à surmonter ses craintes de circuler dans la ville pour venir nous offrir son aide.

Pierre, père de trois enfants

Être parents d'adultes devenus parents à leur tour n'est pas difficile pour nous. Nous nous entendons bien avec notre fils et notre bru. Ils partagent nos valeurs ; nous nous reconnaissons dans ce que nous avons transmis à nos enfants et nous sentons qu'ils nous apprécient. Il y a beaucoup de respect dans nos relations et nous maintenons une certaine distance. Ils élèvent leur enfant à peu près de la même façon que nous avons élevé les nôtres.

Colette et Célestin

Saviez-vous qu'une nouvelle arnaque menace les grands-parents?

Les détails de cette arnaque qui sévit depuis quelques années varient, mais voici comment cela se passe en général. Une personne âgée reçoit un coup de fil de quelqu'un qui lui dit : « Grand-maman, me reconnais-tu ? » Croyant qu'il s'agit d'un de ses petits-enfants, la victime répond « Oui, oui, c'est (elle donne le prénom de son petit-enfant). » L'arnaqueur commence alors à utiliser ce prénom pour se rendre plus crédible auprès de la victime. Il prétend avoir des problèmes et demande à son grand-parent de lui faire parvenir immédiatement de l'argent. La plupart du temps, il dit qu'il a eu un accident avec une voiture de location ou qu'il a été arrêté par la police et qu'il est en prison dans une autre ville ou un autre pays. Il insiste pour que ses parents n'en sachent rien et que le grand-parent garde le secret. Pour rendre l'histoire plus crédible, l'arnaqueur peut avoir un partenaire qui prend le téléphone et prétend être un policier, une personne qui a payé la caution ou un avocat. La victime retire alors de l'argent de son compte et le transfère à son « petit-fils » ou à sa « petite-fille » par l'intermédiaire d'un service de virement d'argent tel que Western Union® ou MoneyGram®. Le criminel peut ensuite retirer la somme depuis n'importe quel bureau de l'agence dans le monde.

En août 2010, l'Association des banquiers canadiens a publié une liste de précautions à prendre pour se protéger contre de telles arnaques[4] :

» Ne donnez jamais d'informations à l'interlocuteur. S'il demande « Me reconnais-tu ? », dites simplement « non » et demandez-lui son identité.

» Informez-vous de l'endroit exact où il se trouve et demandez-lui de répéter l'histoire. Un criminel se rappelle difficilement des détails qu'il vient tout juste d'inventer.

» Posez-lui quelques questions personnelles auxquelles seuls vos vrais petits-enfants pourraient répondre.

▶ Après avoir raccroché, vérifiez l'histoire en appelant les parents ou d'autres membres de la famille du présumé « petit-fils ».

▶ Ne faites jamais de virement d'argent télégraphique, peu importe les circonstances : il est pratiquement impossible de recouvrer ou de trouver l'argent ainsi transféré.

▶ Ne donnez jamais votre numéro de carte de crédit par téléphone ou sur Internet à moins d'être certain de connaître l'identité du destinataire.

Si vous avez été victime d'une fraude de ce genre, appelez votre service de police local. Le personnel des banques est au courant de l'existence de telles arnaques et les employés ont reçu une formation leur permettant de remarquer toute transaction inhabituelle effectuée par un client (par exemple, le retrait d'une somme plus importante que d'habitude). Toutefois, en tant que titulaire du compte, vous êtes responsable des fonds que vous en retirez. D'où l'importance de poser des questions et d'être tout à fait certain de l'identité de votre interlocuteur.

Notes

1. Témoignage tiré de J. Ford. *Op. cit.* p. 32.

2. M. Segalen. « Enquêter sur la grand-parentalité en France ». *Anthropologie et société*, 24, 75-90, 2000.

3. Lemay, M. *Famille, qu'apportes-tu à l'enfant ?* Montréal : Éditions du CHU Sainte-Justine, 2001, p. 114.

4. http://www.cba.ca/fr/consumer-information/42-safeguarding-your-money/533-grandparent-scam

CHAPITRE 4

Des situations particulières

Aimer, c'est trouver sa richesse hors de soi.

Alain

Le plus grand de tous les arts est l'art de vivre ensemble.

William Lyon Phelps

Il n'est pas toujours facile d'être grands-parents. Dans certains contextes, cela peut même être fort complexe. C'est le cas, par exemple, à la naissance de jumeaux ou d'un enfant différent des autres, lors de l'adoption d'un enfant ou de ruptures dans la famille. La situation peut également devenir confuse quand les grands-parents sont les gardiens réguliers de l'enfant pendant que les parents travaillent. Il arrive aussi que les grands-parents doivent se battre pour continuer à voir leur petit-enfant. Enfin, dans des circonstances exceptionnelles, certains doivent prendre la relève des parents pour assurer le bien-être de l'enfant. Ils s'appuient alors sur les droits qui leur sont reconnus par la loi.

Grands-parents de jumeaux

Une aventure particulière attend les grands-parents de jumeaux ou de triplets. Sans crier gare, deux ou trois nouveaux petits à aimer et à cajoler arrivent dans leur vie. Les parents eux-mêmes vivent cette situation comme un bonheur multiplié ou comme une épreuve à surmonter. Dans tous les cas, il s'agit pour eux d'une expérience exigeante et épuisante.

Dans ce contexte, l'aide des grands-parents est souvent sollicitée. Toutefois, il faut ici aussi éviter les pièges mentionnés précédemment. Il ne s'agit pas de s'approprier les enfants sous prétexte que les parents sont débordés : le tact et le respect sont toujours de mise.

> Quand j'ai appris que j'attendais des jumeaux, ce fut le choc. Il n'y en avait aucun dans nos familles. Tant mes parents que mes beaux-parents étaient surpris et contents que nous ayons des enfants puisqu'ils savaient que ça faisait longtemps que nous en voulions. Nos garçons étaient leurs premiers petits-enfants.
>
> Avoir des jumeaux, c'est une tâche énorme. C'est épuisant, on se sent vite débordé. Les journées ne sont pas assez longues pour tout faire et, surtout, certaines choses doivent être faites en double. On n'a que deux bras, mais les deux enfants ont soif ou veulent se faire prendre en même temps. Aller seule à l'épicerie, c'est une vraie récréation. Je me rappelle que mon mari et moi, on se négociait du temps : tu vas faire les courses et je m'occupe des jumeaux ; après je coupe le gazon et tu prends la relève. Il est clair que dans cette situation, on a besoin d'aide.
>
> Mes beaux-parents ont été merveilleux, ils ont fait preuve d'une grande disponibilité. Pendant un certain temps, ils venaient m'aider une journée par semaine : ma belle-mère préparait des repas que je pouvais congeler, elle faisait le lavage, le repassage. Mon beau-père faisait quelques réparations dans la maison. Ils donnaient beaucoup d'affection aux enfants, ils les amenaient au parc, jouaient avec eux, leur racontaient des histoires, les amenaient voir les autres enfants de la famille. À quelques reprises, ils nous ont offert le plus beau cadeau qui soit : une fin de semaine en amoureux. Quand les jumeaux ont été plus vieux, ils les ont même gardés une semaine complète. Leur aide nous a été très précieuse pendant les premières années. Ils faisaient tout cela en respectant nos choix et nos décisions. Ils ne s'imposaient pas ; ils nous respectaient. Ce sont des grands-parents modèles.

Avec mes parents, c'était différent. Comme mes beaux-parents, ils étaient aussi à la retraite et se sont impliqués auprès de nos enfants, mais ça a été conflictuel dès les premiers jours. Ma mère a rapidement voulu prendre le contrôle. C'était comme si elle voulait jouer le rôle de mère auprès de mes fils. Elle surveillait ce que je leur donnais à manger. S'ils attrapaient un rhume, c'était parce qu'il y avait un ventilateur dans leur chambre et mon mari devait l'enlever. Elle téléphonait au pédiatre à mon insu pour demander des renseignements médicaux sur mes enfants et elle a même déjà pris un rendez-vous en mon nom chez le pédiatre. Lorsqu'elle gardait mes jumeaux, elle les laissait tout faire. Quand les enfants se faisaient garder à l'extérieur, elle arrivait à l'improviste chez la gardienne (comme elle faisait toujours chez moi) et, par la suite, elle me faisait des commentaires à son sujet pour la déprécier. Elle est allée jusqu'à accuser mon mari et la gardienne de violenter mes enfants. Ce genre d'ingérence n'est d'aucune aide. Mon mari l'a mise à la porte à quelques reprises, mais rien n'a changé.

Des parents de jumeaux ont besoin d'aide, pas de problèmes supplémentaires ni de critiques constantes. Mes beaux-parents (heureusement qu'ils étaient là) ont très bien su comment nous soutenir dans cette situation; ils ont été et sont toujours des grands-parents idéaux. Ce sont souvent les petites choses qui aident le plus, qui soulagent les parents.

Si je devenais grand-maman de jumeaux, je calquerais mon attitude sur celle de mes beaux-parents. Sans eux, la situation aurait pu être catastrophique.

Isabelle, mère de jumeaux de 5 ans

Comment aider?

La tâche des parents de jumeaux est colossale. Ils auraient besoin de quatre bras pour tout faire en double. Comme nous le dit Isabelle dans le témoignage précédent, les grands-parents peuvent aider en offrant des repas préparés, du temps de gardiennage, des périodes de ménage et en étant une source importante de soutien. Ils doivent toutefois éviter de tout prendre sur leur dos, car ils risquent alors de s'octroyer une place démesurée dans la vie de la famille et de s'épuiser à plus ou moins court terme.

L'existence d'un bon réseau social pour assister les parents dans différentes tâches peut permettre d'éviter une telle situation. Plus le nombre de personnes sur lesquelles ils peuvent compter pour obtenir une aide ponctuelle est élevé, moins le risque d'épuisement des parents, des grands-parents et des personnes du réseau social sont grands.

Grands-parents d'enfants adoptés

De plus en plus, les parents qui ne peuvent avoir d'enfant recourent à l'adoption pour satisfaire leur désir de parentalité. En janvier 2009, le Conseil d'adoption du Canada publiait les statistiques d'adoption internationale : 1 713 enfants ont été adoptés de l'étranger en 2007, contre 1 535 en 2006, ce qui représente une hausse de 12 %[1]. Quarante pour cent de ces enfants étaient originaires de la Chine et 8 % d'Haïti. Les autres enfants provenaient de partout dans le monde[2].

Pour certains grands-parents, l'accueil de ce petit aux yeux bridés, aux cheveux crépus ou à la peau noire ou basanée dans la famille se fait tout naturellement. D'autres ont de la difficulté à remplacer les liens du sang par ceux du cœur.

Au moment de l'annonce de l'adoption à venir, certains futurs grands-parents sont choqués, étonnés, réticents ou froids. Ils réagissent avec force préjugés :

« As-tu pensé aux problèmes à venir ? »

« Tu ne connais même pas ses antécédents. »

« Ça va se voir que tu n'es pas sa mère. »

De telles réactions peuvent être associées au choc de l'annonce ; ces futurs grands-parents ont besoin de temps pour absorber la nouvelle et surmonter leurs propres préjugés.

D'autres sautent de joie et laissent place au bonheur d'accueillir un nouveau petit dans leur vie :

« Ça y est ! On va être grands-parents, et puis il vient de loin ! »

« La couleur de la peau, des cheveux ou des yeux différents, ça n'a pas d'importance. Mon petit-fils a les mêmes mimiques que ma fille ; il lui ressemble. »

Au début, mes beaux-parents étaient assez démunis quand on leur a annoncé qu'on se tournait vers l'adoption internationale. Faute d'information, ma belle-mère s'est montrée un peu raciste. Pour leur part, mes parents ont accueilli la nouvelle avec joie. Toutefois, ma mère ne comprenait pas que les démarches soient si longues. Pour elle, c'était sûrement plus simple d'adopter un enfant que de le porter. Elle me faisait sentir qu'on ne devait pas faire les bonnes démarches. C'était désagréable de toujours devoir lui expliquer les procédures. À l'aéroport, toute la famille était là pour accueillir Élyse : c'était un très beau moment. Par la suite, mes beaux-parents, pour qui c'était le premier petit-enfant, ont choyé ma fille et lui ont donné beaucoup d'amour et d'attention. Ils sont maintenant décédés. Dans ma famille aussi, Élyse a été acceptée à 100 % dès le début.

Micheline, mère d'Élyse, 13 ans, d'origine mexicaine

Mes beaux-parents et ma mère étaient tristes que nous ne puissions avoir d'enfant, car ils savaient que nous souhaitions de tout cœur devenir parents. Quand on leur a parlé d'adoption internationale, ils étaient contents et ils ont partagé avec nous l'angoisse de l'attente. Quand on leur a montré une photo de l'enfant que nous irions chercher, tout le processus est devenu plus réel. Notre fille a été très bien accueillie par toute la famille dès son arrivée. On a senti aucune différence dans le comportement de mes beaux-parents et de ma mère envers notre fille et envers les autres petits-enfants de la famille.

Quand on adopte un enfant, plusieurs considèrent qu'on sauve un enfant de la misère, qu'on a fait un geste humanitaire. Pour nous, c'était simplement l'étape où nous étions rendus, l'étape de devenir parents. On n'est pas meilleurs que les autres ; il y a une espèce d'aura un peu exagérée qui entoure ce geste. Les grands-parents se font dire très souvent que leurs enfants sont bons et généreux.

Il faut s'attendre aussi à ce que les autres enfants de la famille posent des questions du genre : « Tu n'es pas sa vraie maman ? Où est sa maman ? Elle n'était pas bien nourrie où elle était ; c'est pour ça que vous êtes allés la chercher ? »

France, mère d'Éloïse, 6 ans, et de Valérie,
4 ans, d'origine chinoise

Notre première réaction quand ils nous ont annoncé qu'ils envisageaient l'adoption internationale a été de leur dire : « On admire votre générosité. » Ils ont répondu que ce n'était pas par générosité qu'ils faisaient cela, mais pour eux. On les trouvait généreux de se lancer dans l'aventure de parents alors qu'ils avaient une vie douillette et organisée, et courageux d'entreprendre toutes ces démarches. La tentation de demander quel était le problème de fertilité m'a effleuré l'esprit, mais je me suis dit que ça ne me regardait pas et que s'ils voulaient nous le dire, ils le feraient d'eux-mêmes.

Quand Éloïse, qui avait 7 mois, est descendue de l'avion dans les bras de ses parents, le bonheur se lisait sur leur visage. La petite nous a tendu les bras et nous a adressé un magnifique sourire. C'était comme si elle nous acceptait tout autant que nous l'acceptions. Dans la famille, les liens sont tissés serrés et elle a été acceptée à bras ouverts par tous. Julien, son nouveau cousin qui avait alors 6 ans, a dit qu'il voulait aussi une petite sœur chinoise.

Ce qu'on a trouvé admirable, c'est que ses parents sont retournés en Chine chercher une petite sœur à Éloïse. Je trouve qu'être deux sœurs de la même race les aidera à établir leur identité.

Pour leur deuxième voyage en Chine, nous leur avons donné un montant d'argent, ce qu'on avait fait aussi la première fois (ça coûte tellement cher l'adoption). Nous avons aussi surveillé leur maison pendant leur absence et gardé Éloïse qui disait, chaque fois qu'elle voyait un avion dans le ciel : « C'est papa et maman qui arrivent avec Valérie, ma petite sœur. »

Nos seules craintes concernaient leur entrée à l'école, leur contact avec les autres en dehors de la famille. On craint toujours pour nos enfants. Dans notre ville, il y a de plus en plus d'enfants adoptés d'origine asiatique et, au cours des dernières années, les mentalités ont changé, les choses ont évolué. Les questions et les regards surpris s'estompent. Si nous-mêmes n'en faisons pas tout un plat, ça aide.

> L'autre jour, Valérie était avec sa cousine et un petit copain. Quand je suis entrée dans la pièce, Valérie m'a dit, offusquée : « Grand-maman, il dit que je suis Chinoise ! » Je lui ai répondu : « Et toi, qu'en dis-tu ? » Elle a répondu : « Je suis née en Chine, mais je suis Québécoise. »
>
> *Andrée, 68 ans, grand-maman d'Éloïse, de Valérie et de trois autres petits-enfants*

Comment aider ?

Dans ce contexte de parentalité qui sort de la voie habituelle, il est important que les grands-parents respectent la décision de leur enfant et, sans idéaliser l'adoption, fassent en sorte que ce dernier se sente à l'aise de communiquer ses joies et ses angoisses. Par ailleurs, les grands-parents occupent une position privilégiée pour faire une place à ce petit dans la famille.

Laissons une mère et une grand-mère ayant vécu cette situation donner leurs suggestions.

> La meilleure façon d'aider des parents qui adoptent un enfant, c'est de les soutenir, d'être disponible et de démontrer une ouverture d'esprit. Les grands-parents sont aussi un exemple pour le reste de la famille en ce qui concerne l'accueil du nouvel enfant dans la famille. S'ils adoptent une attitude négative, ils peuvent influencer les relations avec l'ensemble de la famille. Dans les situations extrêmes, cela risque de rompre des liens. De plus, ils sont une grande source d'affection pour l'enfant, qui a besoin d'être cajolé, bercé et de se faire chanter des chansons.
>
> *France, mère d'Éloïse et de Valérie*

> Pour aider les parents, je pense que la meilleure attitude est de démontrer une ouverture d'esprit face à l'adoption, de respecter leur décision et de les soutenir dans leurs démarches sans s'imposer.
>
> *Andrée, grand-mère d'Éloïse et de Valérie*

Grands-parents d'enfants différents[3]

Les parents d'un enfant qui naît avec une déficience vivent l'éclatement de leur rêve et doivent renoncer à l'enfant normal qui était attendu. Des sentiments intenses et complexes perturbent leur vie pendant un moment. Parfois, les grands-parents ont aussi de la difficulté à vivre cette situation et éprouvent une peine indicible tant pour les parents et pour l'enfant que pour eux-mêmes. Ils attendaient l'arrivée de ce cher petit dans un bonheur total, pour pouvoir le serrer dans leurs bras, le voir grandir heureux et fort et rêver pour lui d'un avenir sans nuages. Pour eux aussi, c'est l'éclatement d'un rêve.

Le soutien des membres de la famille proche est précieux, car, comme les parents, ils sont aussi engagés dans la situation. Tout comme les amis intimes ou le reste de la famille, les grands-parents peuvent, selon leurs réactions, rendre la situation encore plus difficile ou être d'un grand secours. L'aide qu'ils peuvent apporter dépend de leur perception de la situation. Certains s'accrochent à l'idée que l'enfant n'a pas vraiment de déficience et que, tôt ou tard, il finira par se développer normalement; dans ce cas, les commentaires et l'attitude des grands-parents risquent de compliquer la vie des parents.

S'ils réussissent à remplacer leur pitié initiale pour cet enfant (ou leur honte, dans certains cas) par de l'amour, à composer avec la situation sans la nier ni chercher de coupable, à comprendre la peine des parents sans la juger, ils pourront alors fournir une aide non négligeable à la nouvelle famille. Les grands-parents doivent toutefois apprendre, comme les parents, à laisser le temps panser les blessures; le processus d'adaptation à une telle situation ne se fait pas en une semaine, ni en un mois, ni même en une année.

Les décisions concernant l'enfant, (par exemple, le recours à une chirurgie, à un programme de stimulation ou à un suivi en réadaptation) demeurent toutefois l'affaire des parents et il faut respecter leurs choix.

Nous avons appris que Catherine avait des difficultés particulières à l'âge de 1 an. Aujourd'hui, à 11 ans, elle est dans une classe spéciale : elle présente des difficultés d'apprentissage, de l'hyperactivité et de l'agressivité. Je pense que le rôle de grands-parents dans une telle situation, c'est d'offrir aux parents une grande écoute et de l'aide à différents points de vue. On garde Catherine plus souvent que nos autres petits-enfants. Ça libère les parents, qui ont deux autres enfants. Quand elle est chez nous, elle est plus calme parce que son frère et sa sœur ne sont pas là. Je pense que ce qu'elle apprécie le plus avec nous, c'est de pouvoir s'exprimer librement, sans contrainte. Elle se sent gâtée d'avoir deux adultes pour s'occuper d'elle. Nous sommes plus permissifs que ses parents parce que nous n'avons que Catherine, alors qu'eux doivent tenir compte des autres enfants. Nous aidons aussi les parents financièrement. Ça coûte cher, un enfant différent. Nous les aidons à payer les camps de vacances, les services spécialisés offerts dans le secteur privé. Il y a deux ans, nous lui avons acheté un chiot qui est devenu son grand confident.

Lors des réunions de famille, elle est un peu laissée pour compte. On se dit qu'on doit compenser pour la tendresse que les autres enfants ne lui manifestent pas. Je fais beaucoup d'activités physiques avec elle : courir, aller à bicyclette. C'est une façon de faire sortir son agressivité et son hyperactivité. Elle adore se dépenser physiquement. Avec son oncle, elle a déjà passé un week-end à faire du traîneau à chiens et de l'hébertisme. On va aussi au cinéma, dans les magasins. À Noël, j'organise toujours une grande chasse au trésor pour les enfants. Pour aider Catherine, j'utilise un code de couleurs. Notre grande préoccupation est la même que pour ses parents : l'avenir. C'est inquiétant d'y penser.

Grand-père de six petits-enfants,
dont Catherine, 11 ans

À l'annonce du diagnostic de Philippe, la réaction des grands-parents a été différente.

Sylvain

Ma mère a réagi au choc en se mettant rapidement à l'œuvre pour nous aider. Elle était disponible à 100 %.

Diane

C'était un ange envoyé du ciel. Mes parents ont été dévastés par la nouvelle et mon père a eu plus de mal à surmonter le choc. Il était souvent à nos côtés. Il nous montrait sa tristesse et était désemparé au début ; il essayait de nous comprendre. Il a acheté un livre sur la paralysie cérébrale pour en savoir davantage. Quant à ma mère, son attention s'est tournée vers moi, sa fille, son bébé.

Sylvain

Avec le temps, chacun a trouvé des façons différentes de nous aider.

Diane

Ma belle-mère vient au pied levé, elle est toujours très disponible. Depuis le début, on sent qu'elle veut apprendre ; elle questionne, elle vient en thérapie avec Philippe et moi, elle cherche des solutions aux problèmes. Pendant longtemps, elle a gardé Philippe pour qu'on puisse sortir en couple une fois par semaine. Mes parents sont moins présents au quotidien, mais on sent qu'ils veulent faciliter notre vie. Mon père a mis du temps à apprivoiser la situation. C'est un homme d'une grande bonté et il fait avec Philippe des choses qu'il n'a jamais faites avec aucun de ses petits-enfants, par exemple, le faire manger. Philippe suit régulièrement des traitements d'oxygénothérapie hyperbare. C'est loin de la maison et c'est tous les jours pendant deux mois. C'est mon père qui reconduit Philippe assidûment tous les matins. Il nous est très utile. Ma mère, c'est plus un soutien moral qu'elle m'apporte : elle m'appelle souvent, m'écoute beaucoup et me permet de ventiler, elle me tient au courant des nouvelles de la famille, prend chez elle Camille, la grande sœur de Philippe, quelques heures par semaine, m'achète des vêtements pour que je me sente mieux dans ma peau. Mes parents nous aident aussi financièrement.

Sylvain

La différence entre l'attitude de ma mère et celle de mes beaux-parents vient peut-être de leur éducation.

Diane

Oui, mes parents gardent une certaine distance, un respect pudique, et je pense que ça vient de leur éducation anglophone.

Sylvain

Ma mère avait déjà vécu des moments difficiles dans sa vie (divorce) et elle avait une longueur d'avance sur mes beaux-parents pour comprendre la situation. Aujourd'hui encore, c'est elle qui connaît le mieux notre routine quotidienne et qui vit le plus la situation avec nous.

Diane

Elle ne peut pas rester chez elle si elle sait qu'on a besoin d'aide. Ma belle-mère est devenue une grande amie pour moi ; je suis vraiment chanceuse. Son aide est inestimable même si, avec les meilleures intentions du monde, elle en fait parfois trop. Finalement, il y a un équilibre entre l'aide que nous apportent ma belle-mère et mes parents. Ce que je trouve intéressant, c'est que l'arrivée de Philippe a fait en sorte que mes parents apprécient davantage la normalité que l'on tient trop souvent pour acquise (et nous aussi d'ailleurs). Ils sont plus impressionnés par les réalisations de Camille.

Diane et Sylvain, parents de Philippe, 2 ans,
et de Camille, 5 ans

Quand j'ai su que Philippe avait la paralysie cérébrale, ça a été un choc épouvantable. On ne s'attend jamais à cela. Je me suis dit : « Leur vie vient de basculer. » Ma réaction a été d'être disponible à 100 %. J'étais constamment chez eux : je voulais aider. Philippe pleurait beaucoup et pendant de longues heures ; je le berçais, je faisais des tâches domestiques, je préparais les repas. J'assistais aux réunions de famille à l'hôpital. Quand il a été hospitalisé, je remplaçais ma belle-fille le matin pour lui permettre d'aller déjeuner après avoir passé la nuit auprès de lui. J'allais chez eux presque tous les jours. J'essayais de soutenir ma belle-fille, mais parfois, je sentais que je l'énervais : j'en faisais trop.

Je concentrais toute mon énergie sur Philippe. Ma fille a eu un bébé à peu près au même moment et je lui ai consacré beaucoup moins de temps. Je n'étais pas inquiète pour elle. Elle avait aussi besoin de moi, mais je ne me sentais pas coupable de donner plus à Philippe.

En étant aussi près des parents, on comprend vraiment leurs difficultés et, en même temps, on est témoin de leurs réactions, des heurts qui les opposent. Parfois, ça fait mal : on craint que le couple se sépare. Les émotions sont à fleur de peau. J'admire beaucoup ma belle-fille ; c'est une femme extraordinaire, mais elle se tuait à la tâche. Elle a récemment arrêté de travailler pour un certain temps et je pense que c'est une bonne décision.

Quand je revenais chez moi, je me ressourçais, mais je me sentais coupable en pensant à eux. Moi, je pouvais me reposer, mais eux n'avaient pas une minute de répit. Puis, ils ont commencé à se réserver le mercredi soir pour aller souper en couple. Mon fils aîné et moi, on allait garder ; mon fils s'occupait de la grande sœur et moi, de Philippe. Encore aujourd'hui, je suis toujours disponible dès qu'ils ont besoin de moi. Parfois, je leur cuisine des plats, je fais quelques vêtements pour les enfants. Ça les aide d'une autre façon.

Quand mon autre petit-fils du même âge a dépassé Philippe dans son développement, ça a été bouleversant. C'est difficile d'accepter que les progrès de Philippe soient si lents, mais c'est un petit garçon agréable, sociable, qui sourit à tout le monde et je suis certaine qu'il comprend plus qu'on ne le pense. Il est adorable.

Thérèse, grand-maman paternelle de Philippe, 2 ans,
Camille, 5 ans, et Olivier, 2 ans

Quand nous avons appris l'état de Philippe, ça nous a bouleversés, comme un coup de tonnerre dans un ciel bleu. En plus, il ne s'agissait pas d'une situation temporaire. Ce n'est pas facile de composer avec la situation d'un enfant handicapé : nous étions complètement démunis et moi, je vivais un sentiment d'inutilité face à Philippe. Il faut du temps pour s'adapter à une telle situation.

Jean, grand-papa maternel de Philippe

Moi, j'ai pensé à ma fille en premier. Quelle vie difficile en perspective! On a essayé de garder Philippe quelques fois pour donner un peu de répit à Diane et à Sylvain, mais il réagissait négativement à chaque fois. Nous avons donc dû nous impliquer autrement. Ma fille et moi avons une très bonne relation. Je lui parle au téléphone régulièrement. Elle se sent très à l'aise de me demander un service et je suis toujours disponible.

Pauline, grand-maman maternelle de Philippe

Comment aider?

Les grands-parents peuvent apporter aux parents un grand soutien et une présence chaleureuse dans cette étape très difficile de leur vie. Les écouter sans critiquer ni juger, être disponibles pour recevoir leur trop-plein émotif, être présents pour eux: voilà des comportements qui, même s'ils semblent passifs de prime abord, font beaucoup de bien aux parents. Par ailleurs, les responsabilités quotidiennes qui incombent aux parents sont épuisantes. Les grands-parents peuvent accomplir des tâches concrètes pour les soulager. Ils peuvent garder l'enfant à l'occasion, faire les courses ou encore les aider dans les tâches domestiques. Les grands-parents qui prennent le temps de comprendre la complexité du quotidien de la famille et l'ensemble des tâches qui lui incombent seront davantage en mesure d'apporter une aide réaliste et efficace.

Par ailleurs, si les grands-parents se soucient de bien saisir les capacités de l'enfant tout autant que ses difficultés, ils sauront plus aisément créer des liens avec lui et le découvrir au-delà de ses limites[4]. Ils éviteront ainsi de développer des préjugés qui trouvent souvent leurs sources dans la méconnaissance et l'ignorance. Ils pourront alors répondre à ses besoins d'amour et d'attention. Ils se rendront compte que cet enfant est avant tout un enfant et qu'il a les mêmes besoins de base que tout autre enfant.

Voici ce que suggèrent les parents de Philippe aux grands-parents qui vivent une situation semblable.

Sylvain

Pour aider les parents qui vivent une telle situation, les grands-parents doivent s'empresser d'accepter et s'acharner à comprendre. Vivre avec la famille pendant deux semaines peut les aider à découvrir l'ampleur des difficultés. Quand ils comprennent bien, ils sont les mieux placés pour accorder leur soutien par rapport au reste de la famille.

Diane

Ils peuvent agir comme diffuseurs de l'information au sujet de l'enfant. Ils peuvent expliquer la situation aux autres membres de la famille et les aider à comprendre.

Sylvain

De notre côté, il nous est difficile d'assumer ce rôle parce que la douleur est tellement grande. Pour se protéger, on a d'ailleurs dû se faire une carapace contre certaines questions, réactions ou commentaires qui faisaient mal.

Et voici la recommandation des grands-parents maternels de Philippe :

Jean

Notre recommandation pour des grands-parents qui se retrouvent dans une telle situation ? L'amour ; il n'y a que ça qui peut régler tous les maux de la terre. Donner du temps et de l'amour, et éviter de prendre en charge la famille.

Pauline

Une recommandation à donner aux grands-parents qui vivent une situation semblable ? Je n'en ai aucune, car chacun réagit différemment selon son tempérament, sa façon d'être. Les grands-parents peuvent toutefois favoriser l'unité de la famille et la cohésion entre les enfants et leurs familles respectives.

Grands-parents dans les familles recomposées

Jadis, les parents avaient de nombreux enfants.
De nos jours, ce sont les enfants qui ont
de nombreux parents.

Willy Bodbijl

Selon l'*Enquête sociale générale* de 2006, il existe un peu plus d'un demi-million de familles recomposées au Canada[5]. On considère comme une famille recomposée toute famille dont au moins un enfant provient d'une relation précédente de l'un des parents. Les familles recomposées comptent pour 12 % de toutes les familles biparentales avec enfants. Dans ces familles, l'enfant vit parfois un grand désarroi et ne sait plus où sont ses points de repère. Dans ce contexte, les grands-parents peuvent assurer une continuité dans l'identité de l'enfant et une stabilité dans sa vie.

Toutefois, l'échec du couple de leur fils ou de leur fille fait souvent vivre aux grands-parents une souffrance, une tristesse longue à guérir. Malgré toute leur bonne volonté, ils ont parfois du mal à aider leur petit-enfant.

> Ma fille a divorcé quand ses enfants avaient 1 an et demi et 3 ans et demi. Elle a vécu cinq ans avec quelqu'un d'autre et, depuis un an et demi, elle a un nouveau conjoint qui a deux fils. Quand votre enfant divorce, vous divorcez aussi. On subit le deuil de l'autre qui n'est plus là. Quand ça arrive deux fois, ça fait deux fois plus mal. Les deux enfants ont réagi à cette situation. Mon petit-fils, qui a aujourd'hui 12 ans, a beaucoup de difficultés : il n'est pas intéressé à l'école, il ne communique aucun sentiment, il est colérique. Je me sens démuni face à cette situation. Mes tentatives pour me rapprocher de lui n'ont pas beaucoup de succès. Avec sa sœur de 10 ans, ça va mieux. Elle vient nous voir spontanément.
>
> *Robert, grand-papa de Cédric et d'Émilie*

Par ailleurs, si le parent refait sa vie avec quelqu'un qui a des enfants, les grands-parents doivent s'ouvrir à une descendance non pas biologique, mais « rapportée ». Accueillir des petits-enfants venant d'unions précédentes du nouveau conjoint de leur enfant et composer avec le mélange des petits-enfants dans la famille n'est pas si simple et ne se fait pas toujours sans heurts.

> Quand mon fils a divorcé et s'est marié avec Pascale, sa deuxième femme, je n'ai jamais pu considérer le petit de cette femme comme mon petit-fils. On le considère comme son fils à elle, mais pas comme notre petit-fils, ça non, ce n'est pas possible.
>
> *Roger, 70 ans*
>
> Le nouveau conjoint de ma fille a deux fils. L'été dernier, il y avait un tournoi de golf père-fils. Le plus jeune m'a demandé d'être son « grand-père emprunté » pour l'occasion. On a fait le tournoi tous les quatre ensemble. À Noël, ils seront avec nous dans la famille. Tout doucement, ils vont faire partie de la famille.
>
> *Vincent*

La recomposition familiale a pour effet de multiplier le nombre de parents et de grands-parents, ce qui entraîne une possibilité de rivalité entre eux. Ainsi, certains tiennent à recevoir la famille à Noël et s'attendent à ce que tous soient présents. Il n'est pas toujours facile non plus pour l'enfant d'avoir trois ou quatre paires de grands-parents, surtout quand ils rivalisent de stratagèmes pour obtenir son amour ou, à l'inverse, quand certains ne l'accueillent pas aussi chaleureusement que les autres petits-enfants de la famille.

Pour les grands-parents, cette situation complique aussi l'organisation de certains événements familiaux comme la période des fêtes et les anniversaires. Qui inviter ? Il est parfois ardu de dresser la liste d'invités en sachant qu'un tel ne viendra pas si son ex-conjointe risque d'y être aussi. On peut également se demander si les enfants du nouveau conjoint (ou conjointe) doivent être invités ou s'il vaut mieux attendre quelque temps avant de les intégrer à la famille.

Il arrive aussi que ce ne soit pas les parents qui se séparent, mais bien les grands-parents qui décident de refaire leur vie avec de nouveaux conjoints. Cette situation multiplie également le nombre de grands-parents dans la vie de l'enfant. Elle peut aussi lui faire craindre que ses parents suivent l'exemple de ses grands-parents et se séparent à leur tour.

Mon conjoint et moi sommes tous les deux des enfants du divorce. Les parents de mon conjoint ont divorcé quand il était tout jeune. Son père s'est remarié quelques années plus tard et a obtenu la garde des enfants (ce qui était assez avant-gardiste pour l'époque). Mon conjoint a alors vu sa famille s'agrandir pour intégrer une personne qui a joué le rôle de deuxième mère pour lui.

De mon côté, mes parents ont divorcé quand j'étais enfant. Ce qui complique mon histoire, c'est que mes deux parents se sont remariés quelques années après leur séparation (venant ainsi ajouter un deuxième père et une deuxième mère dans ma vie) et qu'ils ont divorcé à nouveau après quelques années de mariage! Depuis ce temps, les choses se sont calmées (ouf!) et chacun de mes parents a aujourd'hui un partenaire stable dans sa vie.

Ça fait donc beaucoup de parents lorsqu'on considère ma famille et celle de mon conjoint, et je vous épargne la description de la progéniture de tout ce beau monde! Pour ajouter à la complexité de notre situation familiale, les grands-parents maternels de mon conjoint ont également divorcé au début de la cinquantaine! C'est à se demander s'il n'y a pas dans nos familles un gène du divorce! Mon conjoint et moi faisons toutefois exception à la règle, puisque cela fait près de 20 ans que nous faisons vie commune... Il n'est toutefois pas question de nous marier! Je blague, bien sûr, mais la forte association entre le mariage et le divorce dans notre famille amènerait n'importe quelle personne rationnelle à se demander s'il n'y a pas là une relation de cause à effet!

La situation s'est un peu compliquée lorsque nous sommes nous-mêmes devenus parents. Le fait d'avoir autant de relations familiales à entretenir occasionne parfois des problèmes d'organisation.

Le plus difficile pour nous fut d'apprendre à gérer toutes ces relations et de les intégrer à notre horaire déjà bien rempli, en particulier durant le temps des fêtes. En effet, au lieu d'avoir deux familles à visiter à Noël et au jour de l'An, nous en avions quatre, et ce, sans compter les visites des oncles, tantes et arrière-grands-parents! Naturellement, comme la plupart des grands-parents, nos parents ont à cœur de voir leurs petits-enfants pendant cette période si importante de l'année. Au début, nous veillions à ce que personne ne soit laissé pour compte. Nous avions donc pris l'habitude de faire ce que nous appelions «notre tournée familiale complète» entre le 24 et 25 décembre, passant quelques heures chez l'un, quelques heures chez l'autre, et ainsi de suite. Nous répétions ensuite le même scénario au jour de l'An. Pour compliquer les choses, nous habitions à 300 km de notre parenté. Chaque année, c'était la même aventure. Nous nous retrouvions épuisés après nos «vacances» du temps des fêtes et nous n'avions pas pu apprécier la compagnie faute de temps. Quelques années tard, nous avons décidé de briser ce qui prenait l'allure d'une tradition. Afin de retrouver le plaisir du temps des fêtes, de profiter de nos «vacances» et d'apprécier nos visites familiales, nous avons décidé de troquer la quantité pour la qualité. Depuis ce temps, nous fêtons Noël avec deux familles (une famille le 24 décembre et une autre le 25) et nous visitons les deux autres au jour de l'An. Bien sûr, par souci de «démocratie», nous changeons l'ordre des visites d'une année à l'autre. Cette nouvelle stratégie en a peut-être choqué quelques-uns au départ, mais, avec le temps, ils ont fini par comprendre notre situation ou, du moins, à se faire une raison.

Notre situation familiale assez particulière était très difficile à comprendre pour nos enfants. Encore aujourd'hui, ma fille de 5 ans a du mal à savoir qui sont les «vrais» parents de maman et les «vrais» parents de papa et qui sont les conjoints de chacun. Lorsque mon fils, à l'âge de 6 ou 7 ans, a compris à quel point il y avait eu de divorces dans notre famille, il s'est montré plutôt inquiet vis-à-vis de notre couple. Il nous posait alors très souvent des questions comme: «Pourquoi grand-papa et grand-maman ne sont plus ensemble? Pourquoi ils ne s'aiment plus?» Et la question ultime: «Vous, vous n'allez pas vous séparer, hein?»

Nous avons donc dû le rassurer et lui expliquer à plusieurs reprises que, comme on s'aimait beaucoup, il n'était pas question qu'on se sépare. C'était une situation assez étrange, quand on sait qu'une bonne partie des couples doivent plutôt expliquer à leurs enfants pourquoi ils se séparent.

Johanne, qui a huit parents et beaux-parents

Quand on est tout petit, avoir plusieurs grands-parents (j'en ai huit) n'est pas du tout «relax». Il faut apprendre les noms de tout le monde par cœur. Il faut être vif comme l'éclair pour identifier la personne. Je ne vois pas souvent la plupart de mes grands-parents. Ceux qui restent plus près de chez moi viennent me voir à mes leçons de karaté, de natation ou au ski. Avec les autres, quand je vais chez eux, je joue aux cartes et à des jeux de société. Ce sont des jeux plutôt calmes; c'est très différent d'avec mes parents. J'aime bien aller chez grand-papa André: il a une grande maison, une piscine et... une moto. Il m'a dit que je ferais bientôt un tour de moto avec lui: j'ai très hâte. J'aime beaucoup quand on fait le réveillon de Noël chez ce grand-père; il dure jusqu'à trois heures du matin. Il n'y en a qu'un chez qui j'aime moins aller: c'est surtout parce qu'il a d'autres petits-enfants qui sont très turbulents et ils m'énervent. Mes amis me trouvent chanceux d'avoir autant de grands-parents parce qu'ils pensent que je reçois plus de cadeaux qu'eux; ce n'est pas vrai. D'ailleurs, les cadeaux, ce n'est pas le plus important. Ce qui l'est, c'est que mes grands-parents pensent à moi.

Alexandre, 9 ans, fils de Johanne, qui a huit grands-parents

Comment aider?

Dans un tel contexte, le défi à relever est que chacun trouve sa place auprès de l'enfant sans le déstabiliser. La présence d'autant de personnes aimantes dans sa vie peut se révéler être une source d'affection importante et cette situation, de prime abord déstabilisante, peut se transformer en une expérience positive.

Grands-parents gardiens quotidiens de l'enfant

Il est difficile de savoir précisément combien de grands-parents canadiens gardent quotidiennement leurs petits-enfants pendant que les parents travaillent. On peut supposer que, quel que soit ce nombre, il est susceptible d'augmenter dans les années à venir. D'une part, les grands-parents d'aujourd'hui sont plus nombreux et en meilleure santé que ceux des générations précédentes et, d'autre part, les familles où les deux parents travaillent représentent désormais la norme. En effet, depuis trois décennies, le nombre de mères canadiennes sur le marché du travail a progressé fortement, passant de 39 % en 1976 à 73 % en 2009.

Le plus souvent, c'est aux grands-parents maternels, et en particulier à la grand-mère, que les parents s'adressent.

Les grands-parents: plus d'avantages que la garderie

Faire garder son enfant par sa mère présente de nombreux avantages. On sait qu'elle est fiable et responsable et on est assuré que l'enfant sera en sécurité chez elle. Il serait étonnant qu'elle change d'idée en cours d'année et décide du jour au lendemain de ne plus le garder. Bref, on peut compter sur elle. Les retards des parents sont tolérés sans trop de problèmes et les grands-parents acceptent de garder l'enfant même s'il est malade (otite, bronchite et autres), ce qui n'est pas le cas en milieu de garde. Enfin, leurs tarifs défient généralement toute concurrence. Le plus souvent, il ne s'agit que d'un dédommagement des frais encourus pour la garde des enfants et non d'une véritable rémunération pour le service.

Risques de désaccords sur l'éducation de l'enfant

Il ne faut toutefois pas minimiser les inconvénients potentiels. Dans les moments de désaccord, les parents sont en quelque sorte pris en otages. En effet, comme ils ont besoin des grands-parents pour continuer à garder leur enfant, il leur est plus difficile d'exprimer fermement leurs positions éducatives qu'avec une gardienne. Et comme, le plus souvent, les parents versent peu ou pas de rémunération, ce n'est pas la relation habituelle employeurs/employés qui prévaut. Dans ce contexte, il est plus difficile aux parents d'imposer des règles précises. Qu'ils taisent ou expriment leur désaccord, la tension risque d'augmenter. Dans le premier cas, ils se retrouveront dans une zone de non-dit ; dans le second, dans la confrontation.

Rôle affectif et rôle éducatif : à nouveau le piège de l'ingérence

Les grands-parents qui gardent leur petit-enfant ont un rôle ambigu. Ils assument principalement un rôle éducatif auprès de l'enfant tout en conservant leur rôle affectif. Dans ces circonstances, la marge de manœuvre entre le rôle d'éducateurs et celui de grands-parents est étroite.

L'engagement des grands-parents dans le quotidien de l'enfant multiplie les occasions de conflits liés aux méthodes éducatives. Il arrive souvent qu'ils se sentent pris entre l'arbre et l'écorce. Que faire quand ils désapprouvent les mesures éducatives des parents ? Le dire et risquer d'envenimer les relations familiales ? Ou se taire et appliquer des pratiques qu'ils réprouvent ? Il faut espérer que la bonne volonté des grands-parents qui acceptent de garder et le soulagement des parents qui peuvent compter sur des personnes fiables pour garder leur enfant contribuent à aplanir les difficultés potentielles.

Par ailleurs, certains grands-parents se retrouvent gardiens de leur petit-enfant sans l'avoir choisi : ils n'ont pas su dire non. Ils gardent donc l'enfant par contrainte et non par choix. Dans ce contexte, ils risquent d'éprouver un ressentiment qui gâchera à coup sûr la relation avec leur enfant.

Il vaut mieux bien soupeser la question avant de s'engager. Pour que cette mesure ait des chances de succès, il est indispensable que les parents et les grands-parents entretiennent déjà une communication de qualité. S'ils sont capables d'échanger librement avec les parents, les risques de mésentente seront largement diminués. Il faut à tout prix limiter les frictions entre les grands-parents gardiens et les parents, car ces désaccords pourraient avoir pour effet d'ébranler le petit et de l'insécuriser.

Les grands-parents qui décident de répondre négativement à cette demande ne doivent pas se sentir coupables. Dire non n'est pas égoïste : dans la plupart des cas, c'est plutôt savoir se respecter et tenir compte de ses propres besoins et de ses limites en prenant les décisions qui nous conviennent.

Il ne faut pas non plus négliger le maintien de l'harmonie dans son couple. C'est une décision qui doit être prise à deux, même si, d'ordinaire, la grand-mère se sent plus concernée.

Après réflexion, vous répondez par l'affirmative ? Alors permettez-vous d'avoir du plaisir au quotidien avec vos petits-enfants.

> Dès la fin de mon congé de maternité jusqu'à son entrée en maternelle, Margot a été gardée en alternance par ma mère et par son autre grand-mère. Est-ce la solution idéale ? Oui et non… mais surtout oui ! D'abord, j'avais l'esprit libéré de tous les soucis qu'on peut avoir quand on fait appel à une nounou. Je sais que ma mère est fiable et qu'elle ne me lâchera pas en cours d'année. De plus, cette situation entretient le lien familial. Ma mère travaillait quand elle m'a eue. Du coup, elle se rattrape et s'occupe de Margot comme de son propre enfant. Nous n'avons pas de problème de rivalité ni de conflit d'autorité, car on s'arrange toujours, en cas de problème, pour qu'il n'y en ait pas une qui dise « oui » et l'autre « non ». L'aspect négatif, c'est que ma fille finit par confondre sa mère et sa grand-mère !
>
> *Anne-Claire, 35 ans, maman de Margot, 4 ans et demi*

> Ma mère a gardé ma fille aînée pendant ses quatre premières années. Le problème qui se posait, c'est qu'elle ne faisait pas la différence entre son rôle de grand-mère et celui de gardienne. Elle considérait qu'elle pouvait gâter ma fille et qu'elle n'avait pas à faire son éducation ; elle lui passait tous ses caprices. J'aurais aimé qu'elle agisse comme une grand-mère quand on était là, mais qu'elle prenne la relève pour éduquer ma fille quand elle la gardait.
>
> *Carolyne, maman de deux fillettes*

Maison intergénérationnelle

La résidence intergénérationnelle est une maison indivi-
duelle construite ou rénovée pour abriter sous un même toit,
dans deux logements de taille différente, enfants et parents
vieillissants. Les deux ménages peuvent être copropriétaires
ou l'un peut être propriétaire et louer le logement à l'autre.
En 2010, Manon Boulianne, professeure au Département
d'anthropologie de l'Université Laval, a fait le suivi d'une
étude menée en 2003 auprès de familles vivant en cohabitation intergénérationnelle dans la région de Québec[6]. Le
premier avantage mentionné par les personnes concernées
est la sécurité.

> Les plus jeunes comme les plus vieux sont contents d'avoir des parents présents pour surveiller leur propriété en leur absence. Pour les personnes âgées plus vulnérables, la proximité de personnes qui peuvent leur venir en aide est rassurante. Une telle formule pourrait inciter un couple âgé à demeurer plus longtemps dans sa maison et à vieillir ainsi dans un environnement familier[7].

La cohabitation est également intéressante sur le plan
financier. Si l'un des ménages est propriétaire, il perçoit
un loyer qui l'aide à payer l'hypothèque, par exemple. Les
familles qui ont de jeunes enfants ont plus d'espace que si
elles étaient locataires, et à un coût moindre. Si elles achètent
la maison familiale ou si elles finissent par en hériter, elles
profitent d'un accès facile à la propriété. Sans compter que
les ménages peuvent mettre des ressources en commun.

À cela s'ajoutent de nombreux bienfaits sur le plan social, comme le fait observer l'anthropologue. « Les grands-parents interrogés étaient contents de voir leurs petits-enfants régulièrement, dit-elle. Les jeunes parents appréciaient les bienfaits (affection, transmissions des valeurs...) que tiraient leurs enfants de la présence des grands-parents. [...] Tous les ménages qui ont fait l'objet de l'étude avaient discuté longuement de la possibilité de vivre sous un même toit avant de passer aux actes[8]. » Une fois la décision prise, il faut s'adresser au bureau administratif de sa municipalité pour connaître les règlements de zonage.

En 1998, la Loi sur l'aménagement et l'urbanisme a été modifiée afin de permettre aux municipalités d'accorder des permis pour l'aménagement de telles résidences sur leur territoire. Depuis, près de 65 % des municipalités du Québec ont adopté un règlement de zonage à cette fin. Certaines d'entre elles offrent même un crédit de taxe foncière aux propriétaires qui transforment leur propriété en maison intergénérationnelle.

Pour qu'une telle formule fonctionne, il faut toutefois que chacun respecte l'intimité de l'autre.

Ménage partagé

En 2006, plus d'un demi-million d'aînés (514 800) vivaient avec leurs petits-enfants. De ce nombre, plus de la moitié (52,5 %) résidaient dans des familles de trois générations[9] avec leurs petits-enfants et leurs deux parents et près du tiers (32,3 %) vivaient avec leurs petits-enfants et un seul de leurs parents[10].

Partager le même espace que ses enfants et ses petits-enfants présente des avantages et des inconvénients. Contrairement à la maison intergénérationnelle, l'espace de vie est commun et l'intimité de chacun est donc réduite. Bien sûr, le besoin de sécurité est satisfait et la répartition des tâches, facilitée. De plus, il est avantageux de partager les frais. Il est cependant plus difficile d'éviter l'ingérence dans le quotidien des uns et des autres. Il peut être intéressant de considérer cette formule quand l'un des grands-parents se retrouve veuf ou veuve.

Quand les grands-parents doivent prendre la relève

Les recherches nous révèlent que, lors d'une crise familiale, les grands-parents jouent un rôle prépondérant. Dans certaines situations dramatiques, comme la mort des parents, une maladie grave, des problèmes d'alcoolisme ou de toxicomanie, la violence ou la négligence à l'égard de l'enfant, bref dans des contextes où les parents sont temporairement ou définitivement inaptes à s'occuper de leur enfant, les grands-parents peuvent se voir confier la garde du petit-enfant par un tribunal : ils prennent alors la relève des parents.

Les grands-parents qui ont la charge de leur petit-enfant vivent souvent une situation difficile. Comme le démontrent certaines études[11], ils peuvent être plus sujets aux dépressions, à la maladie et à la fatigue que les autres personnes de leur âge. Du fait de la présence quotidienne de l'enfant dans leur vie, ils ont souvent moins de temps libre et, en conséquence, leurs relations sociales s'en trouvent affectées. D'autres grands-parents en retirent beaucoup de bénéfices. Le fait de participer de façon active à la vie de leur petit et de se sentir utiles leur apporte satisfaction et valorisation.

Par ailleurs, si le comportement des parents compromet la sécurité et le développement de l'enfant, les grands-parents doivent, comme tout adulte témoin d'une telle situation, signaler le cas à la Direction de la protection de la jeunesse. Il est utile de savoir que l'identité du délateur n'est pas rendue publique et que le signalement se fait sous le couvert de l'anonymat. Dans ce cas aussi, les grands-parents peuvent obtenir la garde de leur petit-enfant si les deux parents sont incapables de s'occuper de leur enfant de manière temporaire ou définitive.

Aux États-Unis, depuis le début des années 1990, face à l'éclatement des familles, les grands-parents sont de plus en plus nombreux à prendre en charge leurs petits-enfants. Il y aurait environ deux millions d'enfants américains élevés par leurs grands-parents, ce qui explique l'existence des *GrandFamilies® Houses*, ces maisons prévues pour les grands-parents qui élèvent leurs petits-enfants.

Quand les grands-parents doivent faire valoir leurs droits

Depuis 1980, le Code civil du Québec précise à l'article 611 que «les père et mère ne peuvent sans motifs graves faire obstacle aux relations personnelles de l'enfant avec ses grands-parents». Cet article reconnaît la primauté des droits de l'enfant sur ceux de ses parents et des droits de visites, de sorties et d'échange de correspondance pour les grands-parents.

Diverses circonstances peuvent faire en sorte que les grands-parents doivent faire valoir leurs droits; par exemple, à la suite de disputes ou si le nouveau conjoint du parent veuf désapprouve que le petit ait des contacts avec ses grands-parents et interdit tout contact entre eux. Même en cas de divorce des parents, les grands-parents conservent le droit de voir leur petit-enfant, qu'il s'agisse d'un enfant naturel ou adopté.

Si aucun arrangement à l'amiable n'est possible, les grands-parents peuvent avoir recours à un médiateur ou à un conciliateur. Si cette démarche échoue, ils peuvent tenter un règlement hors cour et, ultimement, présenter une requête au tribunal par l'entremise d'un avocat pour obtenir le droit de voir leur petit-enfant. L'audition se fait alors à huis clos.

Le juge peut toutefois refuser ces droits aux grands-parents si la situation risque de nuire à l'intérêt de l'enfant: par exemple, si la relation parents/grands-parents est tellement tendue qu'elle dégénère en une véritable saga judiciaire, si les grands-parents ont une influence néfaste sur l'enfant, s'ils empiètent constamment sur l'autorité parentale, s'ils font preuve de violence physique ou verbale envers l'enfant, s'ils sont inaptes à s'occuper de lui et à le surveiller adéquatement ou si l'enfant refuse catégoriquement de les voir.

Les grands-parents peuvent-ils être contraints de verser une pension alimentaire pour leurs petits-enfants? Par le passé, au Québec, les journaux ont largement médiatisé des cas où les grands-parents avaient été poursuivis par les parents pour obtenir d'eux une pension alimentaire pour les petits-enfants. Depuis 1996, la loi a changé et une telle situation ne peut se produire aujourd'hui. L'article 585 du Code civil précise que l'obligation de verser une pension alimentaire se limite au père et à la mère; il n'y a donc plus d'obligation juridique pour les grands-parents.

Organismes d'aide aux grands-parents

L'Association des grands-parents du Québec[12], fondée en 1990 et particulièrement active à Montréal et à Québec, a comme objectif, entre autres, de promouvoir et défendre les droits des petits-enfants de maintenir des liens significatifs avec leurs grands-parents et leur famille élargie. Elle cherche également à faire reconnaître l'importance du rôle des grands-parents et des aînés dans la société ainsi qu'auprès des familles et des petits-enfants. En fournissant sur leur site Web et par le biais de conférences des informations relatives aux droits des aînés et des grands-parents, elle vient en aide à ceux d'entre eux qui vivent des difficultés familiales.

En Europe, l'École des Grands-Parents européens[13], créée en 1994, met à disposition des conseillers psychologiques et juridiques pour aider les grands-parents à gérer les conflits. Il est également possible d'obtenir les services d'un médiateur afin de trouver un accord qui soit dans l'intérêt de l'enfant.

Dans toutes les circonstances potentiellement difficiles à surmonter qui ont été rapportées dans ce chapitre, il ne faut jamais sous-estimer le pouvoir de l'amour : c'est un moteur puissant pour régler nombre de situations conflictuelles.

Saviez-vous que...

À la suite de la mort de son fils, Charles, et de sa femme, Victor Hugo prend en charge ses deux petits-enfants, Georges et Jeanne Hugo. Il écrit plusieurs poèmes illustrant les comportements et l'innocence de ses petits-enfants, qu'il élève seul et avec tendresse. Ces poèmes, regroupés sous le titre *L'art d'être grand-père*, ont été publiés en 1877[14]. En voici un :

Georges et Jeanne
Moi qu'un petit enfant rend tout à fait stupide,
J'en ai deux ; Georges et Jeanne ; et je prends l'un pour guide
Et l'autre pour lumière, et j'accours à leur voix,
Vu que Georges a deux ans et que Jeanne a dix mois.
Leurs essais d'exister sont divinement gauches ;
On croit, dans leur parole où tremblent des ébauches,
Voir un reste de ciel qui se dissipe et fuit ;
Et moi qui suis le soir, et moi qui suis la nuit,
Moi dont le destin pâle et froid se décolore,
J'ai l'attendrissement de dire : Ils sont l'aurore.
Leur dialogue obscur m'ouvre des horizons ;
Ils s'entendent entr'eux, se donnent leurs raisons.
Jugez comme cela disperse mes pensées.
[...]
Le soir je vais les voir dormir. Sur leurs fronts calmes.
Je distingue ébloui l'ombre que font les palmes
Et comme une clarté d'étoile à son lever,
Et je me dis : À quoi peuvent-ils donc rêver ?

Notes

1. www.quebecadoption.net/adoption/pays/stat.html#canada
2. www.vifamily.ca/media/node/263/attachments/TF12.pdf
3. Cette section est en partie tirée de F. Ferland. *Au-delà de la déficience physique ou intellectuelle, un enfant à découvrir.* Montréal : Les Éditions du CHU Sainte-Justine, 2001.
4. F. Ferland. *Op. cit.*
5. http://30645.vws.magma.ca/media/node/514/attachments/famille_recompose.pdf
6. www.ant.ulaval.ca/?pid=78
7. C. Harvey. « La maison intergénérationnelle », Le Bel âge.ca www.lebelage. ca/argent_et_droits/consommation_et_habitation/la_maison_intergene-rationnelle.php
8. *Ibid.*
9. www.vifamily.ca/sites/default/files/TF29les_aines_au_canada_et_habita-tion.pdf
10. Statistique Canada. *Recensement de 2006 - Portrait de famille : continuité et changement dans les familles et les ménages du Canada en 2006.* N° 97-553-XIE au catalogue, 2007. www12.statcan.ca/census-recensement/2006/as-sa/97-553/pdf/97-553-XIE2006001.pdf
11. C.J. Rosenthal et J. Gladstone. *Op. cit.*
12. http://grands-parents.qc.ca
13. École des Grands-Parents européens (EGPE) www.egpe.org
14. V. Hugo. *L'art d'être grand-père.* Sur le site de l'Association des bibliophiles universels : http://abu.cnam.fr/cgi-bin/go?artgrdp1

CHAPITRE 5

Faciliter les contacts

Aussi longtemps que vous apprendrez,
que vous adopterez de nouvelles habitudes
et que vous accepterez d'être contredit,
vous resterez jeune.

M. Von Ebner-Eschenbach

Quand les parents rendent visite aux grands-parents avec un jeune enfant ou le font garder chez eux, cela ressemble parfois à un véritable déménagement ; ils doivent apporter, entre autres, les couches, le parc, la nourriture, les jouets, le siège de bébé, la doudou, les toutous, les vêtements de rechange. Les grands-parents peuvent toutefois faciliter la visite en ayant chez eux quelques pièces d'équipement pour accueillir l'enfant. Certaines précautions s'imposent pour rendre le séjour de l'enfant sécuritaire et d'autres mesures peuvent le rendre plus agréable. Par ailleurs, en usant d'ingéniosité, il est possible de maintenir un lien régulier et soutenu avec le petit-enfant qui vit loin de ses grands-parents.

Pour faciliter la visite du petit-enfant

Les grands-parents peuvent témoigner au petit-enfant et à ses parents le plaisir qu'ils ont à les recevoir en leur prodiguant certaines attentions. Celles-ci peuvent également contribuer à rendre leur séjour plus simple et plus agréable. Nombreux sont les grands-parents qui se procurent certains équipements ou accessoires de base pour simplifier la visite de la petite famille, notamment un lit d'enfant, un parc, une chaise haute ou un petit banc pour permettre à l'enfant de se laver les mains tout seul et de s'asseoir sur la toilette des grands.

Après que notre fils nous a annoncé la belle nouvelle pour leur couple, nous avons commencé, nous aussi, d'attendre la naissance de Marianne. Nous nous sommes concertés, mon mari et moi, pour savoir de quelle façon nous pouvions souhaiter la bienvenue à ce petit trésor... Après réflexion, nous avons pensé que, comme notre fils et sa conjointe vivaient assez loin de chez nous, nous pourrions aménager un coin chambre d'enfant pour permettre au bébé d'y dormir. Nous avons ressorti du cabanon le lit de nos enfants pour lui donner une cure de jeunesse ! Il a fallu refaire toute la peinture, changer le matelas et coudre deux paires de draps avec de jolis motifs ! Nous étions tellement contents !

Nous avons installé le petit lit dans la chambre attenante à la nôtre, dans la chambre bibliothèque. Pensant au « bébé », nous avons ressorti tous les jouets que nous avions conservés et les avons inspectés pour nous assurer qu'ils étaient propres et sécuritaires. Lorsque Marianne est née, c'était la joie ! Par la suite, nous avons complété l'organisation par une chaise haute, quelques assiettes et verres incassables et, petit à petit, d'autres jouets. Maintenant, quand notre petite-fille vient chez nous, elle court jusqu'à « sa chambre » où elle retrouve tout ce qui lui est familier ; elle s'y trouve à son aise ! Marianne passe de temps en temps une fin de semaine chez nous ; c'est une fête pour chacun de nous !

Anne, grand-maman de Marianne

Équipement sécuritaire[1]

Si on opte pour des meubles usagés, voici quelques précautions à prendre :

Lit d'antan

Au Canada, les lits d'enfant fabriqués avant 1986 ne sont pas conformes aux normes courantes et sont considérés comme dangereux par Santé Canada. Les lits devraient avoir une étiquette indiquant l'année de fabrication.

Si les grands-parents décident de se procurer un lit usagé ou de ressortir un ancien lit de bébé, ils devront d'abord vérifier la largeur des barreaux pour être certains que l'enfant ne puisse y passer la tête. Pour ce faire, un truc consiste à tenter de faire passer une canette de boisson gazeuse entre les barreaux. Si elle passe, les barreaux du lit sont trop espacés.

Outre l'espacement des barreaux, il faut aussi s'assurer que :

- le cadre du lit est solide ;
- les côtés restent bien enclenchés lorsqu'ils sont montés ;
- le matelas est bien ajusté aux quatre côtés du lit ;
- le matelas n'est ni trop mou ni trop usé.

Chaise haute

Une chaise haute sécuritaire devrait reposer sur une large base pour assurer un équilibre maximal. Elle devrait aussi disposer de courroies de retenue et d'une ceinture abdominale pour éviter que l'enfant glisse. L'enfant doit toujours être attaché dans sa chaise et il faut éviter de placer celle-ci près d'un comptoir — où mille trésors peuvent tenter l'enfant — ou encore près des appareils électriques dont les fils attirent sa main comme un puissant aimant. La chaise ne doit pas non plus être située près d'une surface dure, comme une armoire ou un comptoir de cuisine, car l'enfant pourrait déséquilibrer la chaise en y appuyant les pieds.

Environnement sécuritaire

Pour que la visite du petit se passe bien et pour éliminer tout risque d'accident, une attention spéciale doit être portée à l'environnement. Il est utile de se rappeler les réflexes de prudence développés quand nos enfants étaient jeunes : ils seront à nouveau utiles avec le petit-enfant.

Fauteuil et baignoire

Déposer le bébé sur un fauteuil et s'en éloigner, c'est sous-estimer sa vigueur : quelques secondes suffisent pour qu'il roule sur lui-même et tombe par terre.

L'enfant ne doit jamais non plus être laissé sans surveillance dans la baignoire : il suffit de très peu d'eau pour se noyer sans bruit et en quelques secondes. Pourquoi ne pas partager les plaisirs du bain du petit-enfant en restant à ses côtés ? Par ailleurs, il faut lui enseigner à toujours rester assis dans la baignoire, car la porcelaine est suffisamment dure pour le blesser s'il chute.

Avant de déposer le jeune enfant dans la baignoire, on doit vérifier la température de l'eau avec le coude. Saviez-vous que la peau d'un enfant brûle quatre fois plus vite que celle d'un adulte ? Une peau si sensible mérite qu'on prenne quelques précautions supplémentaires.

Siège de bébé

L'enfant ne doit jamais être laissé sans surveillance quand il est assis dans son siège de bébé sur le comptoir de la cuisine, par exemple. Le siège doit être suffisamment large et solide pour éviter que l'enfant bascule. On doit également s'assurer que les courroies de retenue ne touchent pas au cou de l'enfant ; elles doivent plutôt se croiser sur sa poitrine.

Aménagement de l'environnement[2]

Par ailleurs, quand l'enfant commence à se déplacer à quatre pattes, il est utile de se demander ce qui est à sa portée, ce qui peut l'attirer et ce qu'il pourrait en faire. A-t-il accès aux armoires contenant des produits dangereux, aux prises de courant dans lesquelles il pourrait insérer des objets, pourrait-il tirer sur le fil de la bouilloire, du grille-pain ou sur la nappe, faire tomber une plante qui est sur le bord d'une table, atteindre les cordons des stores et y passer la tête ? On peut éviter de nombreux accidents en faisant le tour de la maison pour évaluer les dangers potentiels et apporter les correctifs qui s'imposent.

Quand l'enfant commence à marcher, son équilibre est précaire et il prend appui sur les meubles ; une petite table instable ou sur roulettes risque de le faire chuter, tout comme une carpette qui glisse sous ses premiers pas.

Comme il se déplace dorénavant debout, il a accès à des objets placés plus haut sur les tablettes ou dans la bibliothèque. Les bibelots fragiles, les disques compacts ou les plantes sont à surveiller ou à surélever. Quand on cuisine, il est utile de retrouver le vieux réflexe de tourner les poignées des chaudrons vers le mur pour que l'enfant ne puisse les saisir et en renverser le contenu sur lui. Une attention particulière doit être portée aux plantes, dont certaines, comme le gui ou le houx, peuvent être toxiques. Dans les jardineries, on peut s'informer de la toxicité de ses plantes.

Pour inciter les parents à venir les voir plus souvent, les grands-parents devraient faire en sorte que la visite du petit-enfant ne soit pas une corvée pour eux et qu'ils n'aient pas à surveiller constamment leur enfant afin d'éviter qu'il ne se blesse ou ne brise des objets chers aux grands-parents.

Certains grands-parents décident de ne rien modifier dans l'environnement et d'enseigner plutôt à leur petit-enfant à respecter les interdits. Si tel est leur choix, il faut alors surveiller étroitement l'enfant qui se déplace et se préparer à répéter fréquemment le mot « non ». L'enfant de moins de 2 ans ne reconnaît pas les dangers et ne peut donc pas les éviter : il revient à l'adulte d'y voir.

Taille des objets

Une autre précaution importante concerne la taille des objets avec lesquels l'enfant s'amuse ; il faut s'assurer qu'ils ne sont pas trop petits afin d'éviter tout risque d'étouffement. Dans certaines quincailleries, on vend des tubes qui aident à évaluer le danger de suffocation, mais un simple rouleau cartonné de papier de toilette peut faire l'affaire. Si le jouet ou des parties de celui-ci peuvent passer dans le tube, ils présentent un risque d'étouffement pour l'enfant de moins de 3 ans. On devrait mettre hors de la portée de l'enfant tout objet de moins de 3,5 cm.

Jouets maison

Si grand-maman a la bonne idée de fabriquer quelques jouets en tissu, deux précautions s'imposent : il faut vérifier la solidité des accessoires qui y sont cousus et la qualité de la teinture. Ainsi, si on utilise des boutons pour représenter les yeux d'un animal, il faut vérifier la résistance de la couture en tirant avec force sur les boutons. S'ils résistent au geste de l'adulte, ils résisteront tout autant aux manipulations de l'enfant.

Une deuxième précaution concerne la qualité de la teinture : il peut arriver que certains tissus soient faits avec une teinture de moins bonne qualité. Comme le jeune enfant porte tout à sa bouche, on pourrait alors le voir grimacer. Ainsi, avant de fabriquer un jouet maison en tissu, il faut le « goûter » pour apprécier la qualité de la teinture.

Par ailleurs, tous les jouets en tissu ou en peluche, qu'ils soient faits maison ou qu'ils aient été achetés au magasin, doivent être tenus loin de la cuisinière, du foyer, des radiateurs ou de toute autre source de chaleur.

Pour sa part, si grand-papa fabrique un jouet en bois, il doit éviter toute arête sur laquelle l'enfant pourrait se blesser et plutôt opter pour des formes légèrement arrondies. Il doit également prendre soin de choisir une peinture et un vernis non toxiques, car le jeune enfant est susceptible de porter le jouet à sa bouche.

De telles attentions facilitent le séjour de l'enfant chez ses grands-parents, qui ont alors plus de temps pour profiter de sa présence. Elles rendent aussi plus agréables les visites qu'il leur fait avec ses parents, car ceux-ci peuvent mieux se détendre.

Respect de la routine de l'enfant

Outre l'aménagement physique de la maison, les grands-parents ont avantage à reproduire la routine de l'enfant quand ils le gardent pendant quelques heures ou quelques jours. Son séjour est alors plus agréable, tant pour eux que pour l'enfant. Il est donc sage, surtout si l'enfant est jeune, de connaître précisément sa routine et ses habitudes.

Même si la grand-mère n'est pas d'accord pour qu'il boive son biberon avant de manger ses céréales, mieux vaut appliquer les mêmes règles s'il est habitué ainsi et qu'il y réagit bien. Il ne revient pas aux grands-parents de changer les habitudes de l'enfant à l'insu des parents.

En connaissant ses habitudes, les grands-parents offrent à l'enfant un horaire familier dans lequel il se sent bien et évitent de provoquer chez lui des réactions qu'ils auraient du mal à comprendre. Lors de la visite de l'enfant avec ses parents, il est aussi possible de faciliter cette routine, par exemple en décalant ou en devançant l'heure du repas de quelques minutes afin de respecter l'horaire de l'enfant.

Signes de bienvenue

Un verre, une assiette et une cuillère spécialement choisis pour l'enfant font partie de ces signes de bienvenue qui démontrent qu'il a une place bien à lui chez ses grands-parents. Parions qu'il voudra plus tard conserver ces objets comme de beaux souvenirs ! Si l'enfant est habitué d'avoir une veilleuse dans sa chambre au moment de dormir, les grands-parents peuvent s'en procurer une à moindre coût pour faciliter le sommeil de l'enfant. L'enfant apprécie aussi que des jouets et des livres l'attendent chez grand-papa et grand-maman et qu'il y ait libre accès. Ces délicatesses lui confirment qu'il a une place bien à lui chez ses grands-parents et qu'il est le bienvenu chez eux.

> Quand mon fils est né, il était le premier petit-enfant de ma famille. Pour mes parents, c'était un être très spécial, le centre du monde ou, à tout le moins, de leur monde. Ils ont été (ils sont aujourd'hui décédés) des grands-parents très accueillants. Quand mon fils et ma fille qui a suivi étaient petits, la maison de mes parents était vivante et accueillante. Les enfants avaient des jouets à eux, une piscine : c'était comme leur deuxième maison. Les enfants sentent quand ils sont les bienvenus et mes enfants savaient qu'ils étaient importants dans la vie de leurs grands-parents.
>
> *Michèle, 56 ans*

Il vaut la peine de se donner les moyens pour que la visite ou la garde occasionnelle de l'enfant soit agréable et facile. Tous en bénéficient.

Pour les grands-parents qui vivent loin de leur petit-enfant

Dans certaines familles, les enfants vivent loin de leurs grands-parents, soit dans d'autres villes, soit dans d'autres pays. Cette distance géographique fait en sorte que la relation avec l'enfant est parfois plus diluée, et les contacts, moins fréquents. Comment maintenir une relation chaleureuse et suivie avec lui en dépit de l'éloignement ? Plusieurs moyens sont à la portée des grands-parents.

Même si **la poste** peut sembler un moyen de communication archaïque, elle s'avère fort efficace pour envoyer des lettres, des cartes, des photos ou des dessins. Même très jeunes, les enfants aiment recevoir du courrier à leur nom ; cela est tout aussi valable pour les enfants qui vivent près de leurs grands-parents. Abonner l'enfant à un magazine est une autre façon de faire partie de sa vie et de lui assurer un courrier régulier.

La poste peut également être utilisée pour envoyer un jouet, un livre, un vêtement ou un enregistrement audio sur lequel l'enfant découvrira une histoire ou une chanson qu'il aura plaisir à écouter. L'histoire peut être tirée d'un livre qu'il a à la maison et qui lui permet de suivre le récit. L'enfant sera encore plus captivé si l'histoire est enregistrée par ses deux grands-parents, chacun jouant un personnage. Par la suite, il peut à son tour envoyer à ses grands-parents un enregistrement d'une chanson ou de ce qu'il a fait depuis sa dernière visite chez eux.

Le téléphone permet aussi d'avoir un contact régulier avec l'enfant, mais il faut savoir que le jeune enfant est peu loquace au téléphone : il aime écouter la voix, mais répond par monosyllabes pendant plusieurs mois. Il peut également être très difficile pour l'interlocuteur de comprendre ce que dit l'enfant, d'une part parce que son langage en est à ses débuts et, d'autre part, parce qu'il parlera de ce qui l'entoure en pensant que l'autre personne voit la même chose que lui. L'un des parents peut alors servir d'interprète, en répétant, en arrière-plan, ce que dit l'enfant : « Oui, tu as couché ta poupée dans son lit ; tu as mangé du spaghetti… » Ainsi, l'interlocuteur saura de quoi il parle et pourra répondre en conséquence. Par ailleurs, il est utile de connaître la routine des enfants pour les joindre à un moment opportun.

Une image vaut mille mots, dit-on ? Une technologie telle que **Skype®** permet aux uns et aux autres de se voir en direct. Skype® peut être téléchargé gratuitement[3] et permet d'échanger sans frais avec ceux qui vivent loin, à condition qu'ils aient eux aussi installé Skype® sur leur ordinateur. Pourquoi se contenter de la voix quand on peut avoir l'image ? L'enfant peut faire preuve de spontanéité et décider, par exemple, d'aller chercher son nouvel ourson pour le montrer à ses grands-parents.

Un **DVD** commenté par les grands-parents permet à l'enfant de les voir et de les entendre dans leur quotidien ou dans des activités spéciales. Les parents peuvent à leur tour envoyer un DVD aux grands-parents pour faire voir leur petit à table, dans le bain ou au moment du coucher.

Pour l'enfant plus âgé, le **courrier électronique** est un moyen fort intéressant pour communiquer avec ses grands-parents.

Pendant l'été, l'enfant peut aussi aller **en vacances chez ses grands-parents** pour quelques jours ou quelques semaines. Ces visites qu'il fait sans ses parents lui procurent des moments privilégiés avec ses grands-parents.

Il est possible de maintenir un contact régulier avec ce petit qui est souvent dans les pensées des grands-parents et de lui faire sentir qu'il compte par de petites attentions.

Je suis d'origine suisse et mon mari, d'origine italienne. Nous avons vécu pendant plus de 4 ans en Afrique et nous sommes au Québec depuis 27 ans. Nos deux enfants ont donc toujours vécu loin de leurs grands-parents. Malgré la distance qui les sépare, leurs grands-parents sont importants pour eux. Enfants, ils les voyaient une fois par année et ils recevaient régulièrement des cassettes, des disques et des livres. Nous allions tous les ans en vacances chez eux. C'était l'occasion pour nos enfants de connaître des habitudes de vie différentes, de retrouver des cousins et aussi d'être gâtés par leurs grands-parents. Quand on ne voit pas souvent un enfant, on veut tout lui donner. Mon fils adorait cela. Sa grand-mère lui préparait des plats selon ses goûts, lui permettait de se coucher plus tard. Même aujourd'hui, à 26 ans, il dit à qui veut l'entendre que sa grand-mère italienne prépare le meilleur café qui soit.

Les parents concourent aussi à maintenir le lien avec les grands-parents qui vivent loin en racontant leur histoire, en montrant et en expliquant les photos de famille. Dans notre famille, nous avons une boîte de photos que nous redécouvrons et commentons ensemble, particulièrement pendant la période des fêtes.

Anne, 54 ans et mère de deux enfants

Notes

1. Plusieurs des renseignements qui suivent sont tirés de «Jouer en toute sécurité». Dans F. Ferland. *Et si on jouait? Le jeu chez l'enfant de la naissance à six ans.* Montréal: Éditions du CHU Sainte-Justine, 2002.

2. Ferland, F. *Veiller à la sécurité de son enfant.* Coll. Questions/réponses pour les parents, Montréal: Éditions du CHU Sainte-Justine, 2010.

3. www.skype.com/intl/fr/get-skype

CHAPITRE 6

Des activités-cadeaux

Je t'aime, non seulement pour ce que tu es, mais pour ce
que je suis quand nous sommes ensemble.

Roy Croft

Les jours les plus beaux et les plus doux
ne sont pas ceux où il se passe des choses
particulièrement belles, merveilleuses ou passionnantes
Ce sont ceux qui apportent des plaisirs simples,
qui se succèdent en douceur.

Lucy Maud Montgomery

Si les grands-parents réussissent à échapper aux pièges qui
les guettent, tant dans leur relation avec leur petit-enfant
qu'avec leurs enfants, ils auront alors beaucoup de plaisir
à jouer leur rôle. En occupant une place privilégiée dans
la vie de leur petit-enfant, ils peuvent lui faire vivre des
expériences uniques et lui offrir des cadeaux inestimables,
de ceux qui ne se trouvent pas dans les magasins. Les suggestions qui suivent visent à compléter ce que les parents
offrent déjà à leur enfant, à lui faire découvrir de nouvelles
activités, de celles que les parents n'ont souvent pas le temps
de faire avec lui. La plupart de ces activités s'adressent aux
enfants d'âge préscolaire, mais quelques-unes sont plus
appropriées pour les grands. Elles sont toutes de celles dont
l'enfant se souviendra plus tard.

À la découverte du passé

Nombreuses sont les activités qui permettent aux grands-parents de jouer leur rôle d'historiens familiaux.

Les albums photos des grands-parents révèlent de grands secrets à l'enfant. Ils lui permettent de voir ses parents à son âge, de découvrir à quoi ils ressemblaient, les vêtements qu'ils portaient, les activités auxquelles ils participaient et les cadeaux qu'ils recevaient à leurs anniversaires. À partir des photos, l'enfant aime que les grands-parents évoquent les traits physiques et de caractère qu'il partage avec ses parents tout autant que ses différences de caractère et de personnalité qui font son originalité.

Les bandes vidéo relatant des événements de l'enfance de ses parents servent la même fonction, mais d'une façon encore plus dynamique. L'enfant est captivé en découvrant par l'image des aspects inconnus de ses parents.

Les photos plus anciennes font découvrir à l'enfant des voitures antiques ou des vêtements d'une autre époque. Ces vêtements peuvent aussi être découverts dans des placards ou des malles. Une telle fouille dans les souvenirs de ses grands-parents devient une véritable chasse au trésor pour l'enfant, faisant apparaître des objets qui datent de nombreuses années, comme des bulletins scolaires de ses grands-parents, des coupures de journaux, l'empreinte du pied de son papa ou de sa maman à sa naissance et combien d'autres merveilles.

Par ailleurs, un **album de photos annotées** qui retrace les événements de l'année écoulée (Noël, garderie, sorties spéciales…) est un cadeau d'anniversaire que le jeune enfant aura plaisir à regarder. En vieillissant, il aimera lire les notes que ses grands-parents auront pris le temps d'y inscrire. À l'ère de la photographie numérique, les photos sont le plus souvent stockées sur un DVD ou sur le disque dur de l'ordinateur. Si on prend le temps de constituer un album avec les photos de l'enfant depuis sa naissance, cela devient pour lui un merveilleux livre qui raconte une belle histoire de son passé, qui raconte l'histoire de sa vie.

Les grands-parents peuvent également raconter à l'enfant des histoires originales et fort différentes de celles qu'il connaît, par exemple des histoires de leur propre enfance, quand le téléphone cellulaire et l'ordinateur n'existaient pas, bref au temps des dinosaures! Plusieurs sujets peuvent captiver l'enfant : comment ses grands-parents se sont rencontrés, où ils travaillaient, quels emplois ils ont occupés, quelles étaient leurs chansons préférées, comment se passait Noël dans leur jeunesse, quelle était leur danse préférée… Il faut toutefois y aller par bribes et ne pas raconter 50 ans de vie en une seule fois. D'ailleurs, de telles histoires auront davantage de succès si elles sont en lien avec ce que l'enfant vit. Ainsi, lors d'une excursion de pêche, il sera curieux d'entendre une histoire de pêche vécue par son grand-père et son père.

L'enfant aura aussi plaisir à apprendre **les comptines qui datent de l'enfance de ses parents** et à surprendre ceux-ci en les leur répétant au retour d'une visite chez ses grands-parents. De même, lors de balades en voiture, l'enfant appréciera d'entendre grand-papa et grand-maman chanter ces chansons toutes nouvelles pour lui que sont les chansons de folklore ou d'anciens succès populaires.

Si les grands-parents ont conservé **les jouets de leur enfant**, ce sera pour leur petit l'heure des grandes questions. « C'est qui *Goldorak*? Que fait-on avec ces transformeurs? Maman jouait-elle avec cette pouliche aux cheveux roses? Et cette petite poupée, pourquoi l'appelle-t-on Fraisinette? » À chaque visite, l'enfant sera heureux de retrouver ces nouveaux jouets, des jouets inusités qui ne sont disponibles que chez ses grands-parents.

Si les coffres des grands-parents contiennent des jouets plus anciens, qui datent par exemple de leur propre enfance, tels un jeu d'osselets, un jeu de parchési, une cuisinette ou un berceau de poupée, il ne faut pas hésiter à les ressortir.

Là encore, l'enfant sera ravi par ces jouets tout nouveaux pour lui.

Dans toutes les familles, il y a des **anecdotes amusantes** qui ont été mille fois racontées, que tous connaissent par cœur, mais qu'on écoute toujours avec plaisir ; l'enfant aime les entendre parce qu'elles concernent des gens qu'il connaît.

L'enfant peut aussi **participer aux traditions familiales**, par exemple en aidant sa grand-mère à faire une maison en pain d'épices pour Noël ou en décorant le sapin de ses grands-parents avec eux. Il appréciera également de participer à la chasse aux œufs organisée par ses grands-parents pour Pâques ou de découper de beaux cœurs rouges pour souligner la Saint-Valentin.

> J'ai très hâte aux prochaines fêtes de fin d'année. Clothilde sera assez grande pour m'aider à préparer la nourriture : rouler la pâte à tarte, mettre le sucre à glacer sur les beignes. Cette année déjà, à la Saint-Valentin, elle a découpé la pâte avec des emporte-pièce en forme de cœur. Elle a beaucoup aimé cette activité.
>
> *Paulette, grand-maman de Clothilde, 4 ans et demi,*
> *et Clarence, 6 mois*

L'histoire familiale peut aussi prendre la forme d'un arbre généalogique. La généalogie, ce retour aux sources de la famille, correspond à un besoin d'appartenance et d'enracinement d'autant plus grand à l'époque des familles nucléaires. La recherche d'information sur les origines de la famille permet à l'enfant de connaître le nom et la région d'origine de ses arrière-grands-parents, et peut-être de trouver de vieux documents les concernant, tel un contrat de mariage dans lequel il apprendra que cette aïeule avait apporté comme dot quatre draps brodés et deux couverts.

Ces activités agréables, en lien avec la famille de l'enfant et partagées avec des personnes qui l'aiment de façon inconditionnelle, lui laisseront des souvenirs impérissables.

Un cadeau de naissance unique

Il est un cadeau de naissance extraordinaire qu'un grand-papa ou une grand-maman (ou les deux) peut avoir plaisir à préparer pour le petit-enfant : celui-ci le découvrira quelques années plus tard et l'appréciera certainement. C'est le livre de sa naissance, non pas un livre comme on en trouve dans les magasins et qui relatent ce que l'enfant a fait à tel ou tel âge, mais bien un livre personnalisé, qu'on écrit pour lui et qui raconte l'histoire entourant sa naissance. Dans un album photos ou un cahier spécial, on retrace, dans un style simple et clair pouvant être compris par un jeune enfant, divers renseignements relatifs à sa naissance ; le narrateur s'adresse directement à l'enfant. Ce livre peut prendre différentes formes et être plus ou moins détaillé ; des photos, des illustrations ou des dessins peuvent agrémenter le texte (voir l'annexe pour une suggestion de présentation).

Selon le contexte, l'histoire peut commencer par la grossesse de la maman. Les premières pages racontent alors à l'enfant quand et comment les grands-parents ont appris l'heureux événement à venir et quand ils ont su qu'ils auraient un petit-fils ou une petite-fille. Puis, le grand jour qui arrive. Que s'est-il passé le jour de sa naissance ? Quel temps faisait-il ? Quand les grands-parents ont-ils vu l'enfant ? Quelles ont été leurs premières impressions en le prenant dans leurs bras ?

De quel signe du zodiaque est l'enfant ? Quelles en sont les caractéristiques ? Et selon l'astrologie chinoise, amérindienne ou africaine ? Qui a choisi son prénom ? Quelle en est la signification ? Puis le cercle s'élargit. Que s'est-il passé au cours de l'année de sa naissance ? Bien sûr, pour pouvoir répondre à cette question, il faut attendre quelques mois avant de compléter le livre pour pouvoir indiquer ces événements. Où travaillait papa ? Et maman ? Où habitaient-ils ? Y avait-il un animal dans la famille ? La famille a-t-elle fait des voyages ou pris des vacances pendant l'année de sa naissance ? Y a-t-il eu d'autres événements spéciaux ? Y a-t-il eu d'autres enfants cette année-là dans la famille élargie ? Quels ont été les événements marquants dans le monde ? Qui était le chef d'État ? Combien coûtaient les choses : un disque compact, une paire de jeans, un billet de cinéma ? En apprenant ces choses, l'enfant devenu adolescent sera fasciné et... un peu envieux.

Les grands-parents peuvent aussi y inscrire certains secrets fort utiles. Ils peuvent, par exemple, lui expliquer qui est la Fée des dents et la marche à suivre pour qu'elle joue un rôle « financier » dans sa vie ; qui est le père Noël et pourquoi il ne faudra pas craindre ce gros personnage tout de rouge vêtu ; pourquoi des monstres et des fantômes viendront sonner à sa porte un certain soir de l'année (Halloween) ; et pourquoi il aura lui-même plaisir à se déguiser quelques années plus tard.

Pour terminer, il peut être amusant d'insérer des photos des parents, des oncles, des tantes et des grands-parents quand ils étaient petits.

Un tel livre, préparé pour chacun des petits-enfants, est un cadeau inestimable, qui raconte une histoire unique. C'est un cadeau d'amour dont la confection nécessite du temps, de la patience et un brin de créativité.

Pour un enfant adopté, retracer l'histoire de son arrivée dans la famille revêt une importance encore plus grande, comme le démontre le témoignage suivant.

Les enfants adoptés ont une histoire unique, un passé souvent inconnu ou vague. Certains détails importants manquent à leur histoire (nom de la mère, du père, raison de l'abandon, lieu de naissance, etc.). Ces petits détails semblent superficiels pour certains qui considèrent que le bonheur n'est pas dû à la connaissance de ces faits mais plutôt à l'éducation, à l'amour et aux valeurs que recevra l'enfant. Moi, je leur dis qu'ils se trompent. Ces manques dans l'identité d'un enfant sont une brèche qui peut devenir une grande déchirure à l'adolescence.

L'humain a besoin de connaître son passé pour mieux se situer dans l'avenir. [...]

Nous connaissons généralement tous notre histoire, l'histoire de nos parents, de nos grands-parents, leurs vies, leurs expériences heureuses et malheureuses qui ont bâti leur personnalité et qui ont cheminé dans les gènes, de génération en génération, pour en venir à notre naissance. Mais ces enfants adoptés, ils n'ont pas cette histoire. Leur histoire à eux commence avec leur naissance et, bien souvent, plusieurs mois après leur naissance. Pour eux, le concept d'histoire est différent et, souvent, ils ne trouvent leur équilibre que lorsqu'ils ont assumé cette réalité.

C'est pour toutes ces raisons qu'il est important d'écrire l'histoire de son enfant, de noter tous les petits détails, aussi anodins soient-ils, qui concernent son adoption et qui contribuent à le définir [...] enregistrer nos émotions depuis le tout début du processus, la grande joie de sa proposition, nos craintes de le perdre, son arrivée, sa première nuit, son adaptation, ses réflexions, etc.

J'écris à mon fils le livre de son histoire, près de 60 pages uniquement pour lui. J'écris en espérant qu'un jour il trouvera dans ces lignes la confiance nécessaire pour surmonter ses éventuels moments de questionnement. J'écris pour l'aider à mieux se connaître, à mieux comprendre ses comportements. J'écris pour son bonheur, pour qu'il puisse un jour comprendre tout l'amour que nous avions et avons toujours pour lui.

Aujourd'hui, c'est le livre de son histoire, mais qui sait, demain ce livre sera peut-être pour lui une bouée de sauvetage[1].

Lucie, maman de Charles, 3 ans, adopté en Roumanie et en attente d'Alexandre, 21 mois, du Bélarus

Les grands-parents aussi peuvent écrire l'histoire de l'enfant adopté depuis leur point de vue, telle qu'ils l'ont vécue. Ils peuvent consigner dans un cahier quand et comment ils ont appris sa venue prochaine, leurs réflexions pendant l'attente de son arrivée, quand ils l'ont vu pour la première fois, quelles ont été leurs premières impressions, comment se sont déroulées ses premières visites chez ses grands-parents, les sentiments qui les habitaient...

Dans le même sens, **les dessins** qu'on aura conservés pour remettre à l'enfant au moment de l'adolescence, par exemple, deviendront aussi des souvenirs intéressants pour lui. Le simple fait de les avoir conservés lui démontre l'importance qu'il a dans la vie de ses grands-parents.

À la découverte de la nature

Nombreuses sont les activités à faire avec l'enfant pour l'amener à découvrir et à aimer la nature. De telles activités sont d'autant plus importantes qu'elles incitent l'enfant à aller à l'extérieur et à s'intéresser au monde environnant.

Lors d'une promenade en forêt, on éveillera son sens de l'observation en l'invitant à observer un pic-bois à l'œuvre, à suivre des yeux un vol d'oiseaux, à toucher à un véritable tapis de mousse ou à suivre les déplacements d'un écureuil. Dans le jardin, il sera fasciné par les coccinelles, les chenilles, les sauterelles, les crapauds ou les vers de terre qu'on lui fera remarquer.

> Nous sommes allés dehors et il y avait un pissenlit monté en graine. Pour moi, c'était de la mauvaise herbe que je ne remarquais plus depuis longtemps; mais pour mon petit-fils de 2 ans, c'était une découverte spectaculaire. Je lui ai montré comment souffler les graines dans le vent et j'ai vu dans son visage qu'il était absolument ravi. J'ai été stupéfaite de l'observer avec les pissenlits. Cela m'a appris à regarder le monde avec ses yeux[2].
>
> *Rébecca*

L'enfant est également heureux de participer à des activités en lien avec la nature, par exemple préparer le potager avec grand-papa, récolter les légumes, arracher les mauvaises herbes, faire griller des graines de tournesol ou de citrouille, cueillir des fraises dans le champ ou des pommes dans le verger, et davantage encore de préparer des plats avec les légumes ou les fruits fraîchement cueillis.

> Cet été, mon petit-fils de 5 ans et moi sommes allés cueillir des fraises tout près de la maison. Puis, tous les deux, nous avons préparé des muffins aux fraises. Il les a trouvés délicieux, mais il était surtout content de les avoir faits avec les fraises que nous venions tout juste de cueillir et d'équeuter. Au retour de ses parents, il était tout fier de leur faire goûter et il leur a précisé à plusieurs reprises d'où venaient ces fraises qui, pour lui, avaient une saveur très différente de celles trouvées en magasin.
>
> *Francine, grand-maman de Gabriel*

Chercher des vers de terre dans le jardin pour aller à la pêche, apprendre à ramer, à faire la différence entre une truite et une perchaude, voilà d'autres activités inédites pour le petit citadin.

Ces activités en lien avec la nature et riches en connaissances sont innombrables. Voici d'autres suggestions : observer les étoiles, apprendre le nom des arbres et reconnaître leurs feuilles, observer et identifier les oiseaux, remplir leur mangeoire, suivre le déplacement des fourmis, faire un herbier en collant des feuilles ou des fleurs qu'on a fait sécher dans un cahier spécial et en inscrivant leurs noms, apprendre à faire voler les samares (graines ailées des érables) comme des hélicoptères en les lançant en l'air, faire chanter un brin d'herbe en le tenant entre les deux pouces placés côte à côte et en soufflant dessus ou encore apprendre à faire des ricochets dans l'eau en lançant des pierres plates.

> Mon petit-fils de 5 ans aime beaucoup faire la chasse aux insectes avec moi. Son premier monarque (papillon), dont il est très fier, il a réussi à l'attraper avec l'aide de sa grand-mère. Depuis, je suis pour lui «la meilleure» pour repérer les papillons. Il a bien essayé de montrer à sa grand-mère à prendre dans ses mains des sauterelles, des vers de terre, une couleuvre, mais sans succès. Comme il est très curieux et s'intéresse beaucoup à tout ce qui touche la nature (plantes, insectes...), j'ai beaucoup de plaisir à faire différentes activités de découverte dans la nature lorsqu'il vient au chalet.

> Il aime bricoler, alors je lui ramasse des contenants pour ses insectes et des feuilles et des cartons pour se faire un herbier. Pour lui, c'est un beau cadeau (et comme sa grand-mère est très ramasseuse, ça n'est pas difficile !)
>
> *Élisabeth, grand-maman de Henri, 5 ans*

Si l'enfant n'a pas d'animal chez lui, il aura à coup sûr grand plaisir à jouer avec le chat de grand-papa, à promener son chien ou à nourrir ses poissons.

À la découverte du sens de la fête

Transmettre le sens de la fête, quel bel héritage à laisser à ses petits-enfants ! Leur apprendre le bonheur d'avoir de petites attentions pour souligner des moments particuliers, des délicatesses qui font plaisir, c'est leur donner le sens de la fête du cœur. Fêter de cette façon est davantage en lien avec la créativité qu'avec l'argent et la consommation.

Les événements à célébrer ne manquent pas : premier pipi dans le pot, première neige, première journée d'école, premier poisson pêché par l'enfant. Tout peut devenir prétexte à la fête. Lorsque les grands-parents soulignent l'anniversaire d'un membre de la famille, ils peuvent confier à l'enfant la fabrication des décorations, l'emballage des cadeaux, le choix du dessert susceptible de plaire au fêté ou la préparation de la table. L'enfant découvre alors le plaisir de penser aux autres, de s'intéresser à ceux qu'il aime et de se préoccuper de petits détails qui leur plairont.

L'enfant sera aussi ravi d'être invité à un souper en tête-à-tête avec ses grands-parents. Ceux-ci pourront en faire une fête en sortant les couverts réservés aux grandes occasions. Par ailleurs, en présence du petit-enfant, les grands-parents peuvent se permettre des activités qui, autrement, paraîtraient un peu bizarres : faire un bonhomme de neige même si on a plus de 60 ans, poser des questions aux animaux et deviner leurs réponses lors d'une visite au jardin zoologique, se balancer au parc, faire la course jusqu'au coin de la rue ou se déguiser en créant une histoire farfelue. Les grands-parents ont l'avantage de pouvoir jouer en toute liberté, de plonger dans le monde merveilleux de l'imaginaire avec l'enfant et, ainsi, de faire contrepoids à l'univers plus réaliste que doivent lui offrir ses parents au quotidien. Se permettre de la fantaisie et de l'imaginaire, ça aussi, c'est découvrir l'esprit de la fête.

> Comme nous trouvons important que les enfants jouent dehors, nous faisons des promenades, nous allons au parc. C'est l'occasion de faire bouger Clothilde mais aussi d'attirer son attention sur les arbres, les fleurs qui poussent. J'aime beaucoup laisser aller mon imagination dans mes activités avec Clothilde. Par exemple, hier, je suis allée la chercher à la garderie et en revenant à pied à la maison, je lui faisais remarquer la neige sur les arbustes. Elle s'est alors amusée à enlever cette neige. Alors, j'ai fait semblant d'être l'arbuste et je lui ai dit : « Oh ! Je vais avoir froid sans mon manteau de neige. » Elle a trouvé ça très drôle.
>
> *Paulette, grand-maman de Clothilde*

À la découverte du plaisir d'activités toutes simples

Comme les grands-parents sont en général moins pressés et moins stressés que les parents, ils acceptent plus volontiers que l'enfant les aide à ramasser les feuilles ou à préparer des biscuits, même si cela prend plus de temps. Ils sont aussi des partenaires disponibles pour jouer à la cachette ou au ballon, ou pour faire une promenade. Ils peuvent également amener leur petit à des spectacles de magie, au cirque ou au théâtre. Il faut toutefois éviter de n'offrir à l'enfant que ce genre d'activités ; une fois l'habitude prise, l'enfant n'attendra de ses grands-parents que des activités sortant de l'ordinaire. Mieux vaut viser une variété d'activités et, surtout, des activités simples.

En partageant avec lui des activités courantes, on valorise la simplicité et on lui enseigne qu'il n'est pas nécessaire d'avoir des jouets compliqués ou de faire des sorties extraordinaires pour avoir du plaisir. L'amour ne s'achète pas avec l'argent, et le cadeau, aussi somptueux soit-il, ne saurait créer un lien aussi riche avec l'enfant que l'attention et l'amour qu'on lui prodigue.

Par ailleurs, il ne faut pas croire que de telles activités n'apprennent rien à l'enfant. En y regardant de plus près, ces activités toutes simples apportent à l'enfant des expériences enrichissantes. La confection de biscuits maison, par exemple, favorise sa coordination pour mesurer et mélanger les ingrédients, lui enseigne des notions de mathématiques (2 c. à thé de tel ingrédient, ½ tasse de tel autre) et le fonctionnement du four, lui permet de développer son sens de l'observation en surveillant la cuisson et de stimuler son goût lors de la dégustation ; tout cela en plus de réaliser une activité agréable avec sa grand-maman… ou son grand-papa.

Dans notre société de consommation à outrance, miser sur des activités simples plutôt que sur l'argent va à contre-courant et donne à l'enfant une leçon qu'il est susceptible de conserver toute sa vie. En effet, une telle attitude lui enseigne une valeur fondamentale : les gens et le temps qu'ils nous consacrent sont plus importants que les biens matériels. Il est à parier que les meilleurs souvenirs d'enfance que nous avons avec nos grands-parents concernent des activités familiales simples, comme des pique-niques, des excursions de pêche, des réunions de famille, des anniversaires ou, comme dans mon cas, des jeux organisés par ma grand-mère spécialement pour ses petits-enfants.

Activités simples et amusantes

Nombreuses sont les activités peu coûteuses qui peuvent être faites avec l'enfant, des activités que les parents n'ont peut-être pas le temps de faire avec lui et qu'il aura plaisir à partager avec ses grands-parents. En voici quelques-unes[3] :

▶ L'enfant est chez ses grands-parents et le temps est maussade : l'ennui pointe à l'horizon. Pourquoi ne pas suggérer un pique-nique dans le salon ? Il suffit d'étendre une couverture par terre et de préparer un goûter amusant, et le soleil revient dans la maison. Les animaux en peluche de l'enfant souhaitent peut-être participer à ce pique-nique inédit ?

▶ Après avoir mangé, une marche militaire dans la maison permet de digérer et de faire sortir le trop-plein d'énergie de l'enfant en cette journée où les conditions météorologiques empêchent les activités extérieures. On peut fabriquer un tambour en perçant deux trous sur les côtés d'un contenant de crème glacée en plastique et en y enfilant une corde que l'enfant peut passer autour de son cou. Il suffit ensuite de trouver deux cuillers de bois et voilà le petit soldat prêt à marcher au pas militaire sur une musique de circonstance.

▶ Bien protégé par des bottes et un imperméable, l'enfant sera ravi d'aller se promener sous la pluie, surtout si cette activité est inhabituelle pour lui.

▶ On peut aussi partager ses passions avec son tout-petit. Si grand-papa adore la pêche, il peut initier son petit-fils ; si grand-maman apprend l'espagnol, elle peut s'amuser à en enseigner les rudiments à son petit-enfant. Si l'un des grands-parents vient d'une autre culture, c'est une belle occasion pour l'enfant de la découvrir grâce à de nouveaux mets ou à des histoires nouvelles.

▶ Prendre le temps d'aider l'enfant à développer des habiletés particulières telles que siffler, claquer des doigts ou utiliser un téléphone public. Ce sont des activités qui lui plairont. Se faire photographier lors d'une visite au centre commercial et afficher la photo sur le réfrigérateur de grand-maman sera tout aussi agréable pour lui.

▶ Une valise de déguisements qui contient aussi bien des vêtements que des accessoires (chapeau, sac à main, portemonnaie, ceinture, cape, foulard...) permet à l'enfant de s'inventer une multitude de jeux. Il peut incarner le personnage de son choix, jouer divers rôles et pratiquer certaines habiletés d'habillage. Une telle valise est un jouet polyvalent et riche en possibilités, et l'enfant aura plaisir à la retrouver à chacune de ses visites chez ses grands-parents.

▶ Il est facile de créer des chefs-d'œuvre avec des objets usuels. Ainsi, l'imprimerie prend un tout autre sens lorsqu'on utilise des pommes de terre. Après avoir coupé une pomme de terre en deux, on sculpte une forme simple, comme un cœur ou une étoile, sur la face blanche. Puis, tenant cette demi-patate par la partie brune, on l'imbibe de peinture pour reporter le dessin sur un carton. L'œuvre ainsi réalisée peut trouver sa place d'honneur sur le réfrigérateur et être exposée à l'admiration de tous.

▶ Les pâtes alimentaires préalablement peintes de différentes couleurs et enfilées sur une corde font de magnifiques colliers ou bracelets que l'enfant peut offrir à sa maman.

▶ Avec un peu d'imagination et un minimum d'habiletés, il est possible de fabriquer des animaux en peluche; il existe d'ailleurs des patrons à cet effet. On peut aussi confectionner une couverture ou un cube tactile constitué de tissus de différentes textures qui procurent une stimulation agréable au jeune enfant.

▶ Une marionnette est facile à faire avec un bas de laine : deux boutons cousus sur le bout de la chaussette deviennent les yeux, un morceau de feutre, la langue, et des brins de laine, les cheveux. C'est une marionnette simple et facile à manipuler pour l'enfant.

Il peut aussi être amusant de faire sa propre recette de pâte à modeler avec l'enfant.

Pâte à modeler [4]

1 tasse de farine

½ tasse de sel

2 c. à table d'huile

2 c. à table de crème de tartre

1 tasse d'eau bouillante

Colorant alimentaire

Mélanger tous les ingrédients secs. Mélanger le colorant à l'eau. Ajouter l'huile et l'eau bouillante aux ingrédients secs. Mélanger le tout en pétrissant. Si le mélange colle, ajouter un peu de farine. Si le mélange est trop dur, ajouter un peu d'eau.

Et pourquoi ne pas fabriquer des jouets maison pour l'enfant?

▶ Si grand-papa est un peu bricoleur, il saura faire un casse-tête (puzzle) ou un train avec des retailles de bois. Il peut également fabriquer un coffre pour recevoir les trésors de l'enfant. Je connais un grand-père particulièrement habile qui, chaque Noël, prépare des cadeaux faits main pour chacun de ses huit petits-enfants: maison, berceau de poupée, traîneau miniature avec cheval, convoi ferroviaire.

▶ Et pourquoi ne pas confectionner un instrument de musique inédit? Il est simple de fabriquer un bouton musical. Il suffit d'utiliser un gros bouton à deux trous de 8-10 cm de diamètre, d'enfiler une corde d'environ 35 cm dans chacun des trous et de l'attacher. En plaçant le bouton au milieu et en tenant une extrémité de la corde dans chaque main, on fait tourner les deux bouts de la ficelle plusieurs fois vers l'avant, puis on tire vers l'extérieur pour ensuite ramener les mains vers le bouton et de nouveau vers l'extérieur, comme si on tenait un accordéon. On entend alors une musique inédite. Pour un enfant d'environ 5 ans, ce jouet est une source d'émerveillement, à condition de ne pas l'utiliser trop près des cheveux, car il pourrait s'y emmêler.

En laissant aller son imagination, il est facile de trouver de nombreuses autres possibilités pour créer du matériel de jeu inédit et amusant. En se remémorant des activités de sa propre enfance, d'autres activités nouvelles pour l'enfant surgiront.

Les grands-parents et les cadeaux

Même si on sait que l'amour n'a rien à voir avec l'argent et la grosseur des cadeaux, on a l'impression que la valeur de ce qu'on offre témoigne de la force de notre amour. On veut voir nos petits-enfants heureux et être la cause de ce bonheur sans penser aux valeurs que cette surabondance véhicule.

Les grands-parents sont souvent en mesure d'offrir des cadeaux plus coûteux que les parents. Si ces cadeaux sont offerts à tout moment, ils risquent de perdre leur pleine signification et de provoquer des tensions avec les parents. Ceux-ci craindront en effet que leur enfant ne devienne gâté et exigeant. À l'inverse, s'ils sont réservés aux occasions spéciales, comme Noël ou l'anniversaire de naissance, de tels cadeaux prendront d'autant plus de valeur qu'ils auront été désirés et attendus par l'enfant. Rappelez-vous cette bicyclette ou cette poupée que vous aviez demandée pendant des mois et que vous aviez enfin obtenue à l'occasion de votre anniversaire. Votre plaisir a sûrement été décuplé par le fait que vous l'aviez ardemment souhaitée. L'attente fait aussi partie du plaisir d'obtenir quelque chose que l'on désire.

Pour choisir le cadeau à offrir il faut, bien sûr, tenir compte du développement de l'enfant, mais aussi des valeurs qu'on veut lui transmettre : la coopération, l'imagination, l'importance de la lecture, le jeu en famille... Demander des suggestions aux parents peut être fort utile.

En dehors des cadeaux réservés aux occasions spéciales, les grands-parents apportent souvent de petites gâteries à l'enfant lors de leurs visites. Si ces gâteries ne deviennent pas une habitude à laquelle s'attend systématiquement l'enfant et si les grands-parents les donnent quand et parce que ça leur fait plaisir, il n'y a pas lieu de les cesser, car elles témoignent de l'amour qu'ils ont pour lui indépendamment de ses mérites. Bien sûr, de telles attentions ne doivent pas viser à acheter l'amour de l'enfant ni à s'y substituer.

Notes

1. http://quebecadoption.net (section « témoignages »)
2. Témoignage tiré de J. Ford. *Op. cit.*
3. Pour d'autres suggestions, se référer à F. Ferland. *Et si on jouait?* *Op. cit.* p. 65-118.
4. Mes remerciements à Julie Abran qui a accepté de partager sa recette avec nous.

CHAPITRE 7

Et le temps passe...

La vie est toujours en devenir, mais il ne faudrait pas oublier de la vivre au présent.

Jacques Salomé

Avec les années, nos visages racontent l'histoire de notre vie.

Cynthia Ozick

La vie passe à un rythme effréné et on traverse les générations avec la rapidité de l'éclair : hier, parents, et aujourd'hui, déjà grands-parents. Après le premier petit-enfant, d'autres s'ajoutent à la famille et avancent dans la vie. Ils deviennent adolescents, puis adultes. Pendant ce temps, les grands-parents aussi vieillissent. Comment adapter et maintenir la relation avec le petit-enfant à mesure qu'il grandit ? Comment se partager entre tous les petits-enfants qui s'ajoutent à la famille ? Comment adapter le rôle de grands-parents quand on vieillit et qu'on n'a plus la même force ni la même énergie ?

Le petit-enfant grandit

À mesure que l'enfant grandit, la relation avec ses grands-parents évolue. Après un bref résumé du rôle des grands-parents dans la vie de l'enfant de moins de 6 ans, nous examinerons les changements d'intérêt et de comportement auxquels on doit s'attendre à mesure que l'enfant avance en âge et comment les grands-parents peuvent s'y adapter.

De 0 à 5 ans : tout plein de bisous et de câlins

Pendant les premières années de vie de l'enfant, le lien affectif entre les grands-parents et les petits-enfants se manifeste par de la tendresse et de l'affection et s'établit surtout dans le jeu et les activités quotidiennes. Au chapitre précédent, nous avons suggéré plusieurs activités pour favoriser ce lien.

Clarence, qui a 6 mois, aime que je lui donne des câlins, des bisous. Je prends plaisir à la bercer et à faire des promenades avec elle dans sa poussette. Je regarde des livres avec elle et je lui nomme ce qu'on voit sur les images. Quand elle gazouille, je fais l'écho, elle trouve ça drôle et ça l'encourage à continuer. Nous avons alors un long dialogue inintelligible pour les autres. Pendant les changements de couches, je lui chatouille le bedon et la bécote partout, ce qui la fait beaucoup rire. J'adore entendre son rire cristallin.

Paulette, grand-maman de deux fillettes

Avec mes trois petits-fils, le plaisir se retrouve dans la réalisation de différentes activités. Pour le plus vieux, qui a 5 ans, c'est la chasse aux insectes qui l'intéresse le plus. Son frère, Éloi, qui a 3 ans, adore que je l'amène en voiturette, que je le balance (balançoire fixée à un arbre), que j'observe ses prouesses en tricycle et que je joue à la cachette avec lui. Comme il aime aussi les casse-têtes et les livres, je lui réserve du temps pour de telles activités et il prend plaisir à me raconter l'histoire d'un livre que nous avons regardé à maintes reprises ensemble (ex. *La soupe aux boutons*). Les meilleures activités avec eux sont celles que j'invente spontanément (cachette, chasse au trésor, bricolage avec des objets inusités). Et pour le petit dernier, Julien, 9 mois, il est encore trop tôt pour le bricolage, la cachette, les randonnées : c'est encore le temps de le cajoler et de le bercer.

Élisabeth, grand-maman de trois petits-enfants

Les marques d'amour et d'affection peuvent prendre diverses formes et laisser par conséquent des souvenirs fort variés dans la mémoire des petits-enfants.

> Mon grand-père était déjà très âgé quand j'étais petite, mais je me rappellerai toujours ses bisous qui piquaient à cause de sa moustache.
>
> *Émilie, 27 ans*
>
> Ma grand-mère avait toujours des menthes roses pour nous quand on allait la voir. Pour moi, c'était les bonbons de ma grand-mère. Encore aujourd'hui, chaque fois que j'en vois, je pense à elle.
>
> *Sébastien, 30 ans*
>
> Quand j'étais tout jeune, je tirais du poignet avec mon grand-père. À chacune de mes visites chez lui, j'avais hâte de voir si j'allais réussir à le battre. Je me sentais fort quand j'y parvenais... même si c'était parce qu'il me laissait gagner.
>
> *Jean-Philippe, 27 ans*
>
> Quand j'étais petite, j'allais souvent chez ma grand-mère qui habitait la maison voisine. Elle me gâtait à chaque visite. Je me rappelle entre autres des sandwichs qu'elle me préparait. Elle les découpait en petites pointes et enlevait la croûte, des petits sandwichs de fantaisie juste pour moi. Comme elle aimait cuisiner et que moi, j'aimais manger, je me régalais aussi des choux à la crème qu'elle préparait pour certaines occasions.
>
> *Mireille, 30 ans*

De 5 à 12 ans : des mots pour raconter, des activités à partager

L'enfant arrive à l'âge scolaire. Il aime alors se raconter et il se sent intéressant quand ses grands-parents prennent le temps de l'écouter et de discuter avec lui. En prêtant attention à ce qu'il vit, ses grands-parents lui témoignent leur intérêt et leur amour.

Durant cette période, ses intérêts s'élargissent ; l'enfant est curieux et a une grande soif d'apprendre qui ne demande qu'à être assouvie. Il s'intéresse particulièrement à ce qui se passe autour de lui, au monde des adultes et à la technologie. Il est ravi, par exemple, de visiter une caserne de pompier, d'assister à l'enregistrement d'une émission de télévision en studio ou de visiter le lieu de travail de grand-papa ou de grand-maman.

Son intérêt pour le monde réel l'amène à prendre conscience que diverses règles le régissent (code de la route, façon précise de faire tel ou tel travail). Dorénavant, il a la capacité de comprendre ces règles et il prend plaisir à les reproduire dans ses jeux, d'où son intérêt pour les jeux de société qui reposent sur des règlements spécifiques que les joueurs doivent respecter. Il aime, par exemple, les jeux de cartes, le jeu de dames ou d'échecs, le Monopoly® ; il découvre avec plaisir les anciens jeux de société comme le parchési ou les dames chinoises.

Sa soif d'apprendre l'incitera peut-être à vouloir découvrir le tricot, la couture, la cuisine ou la fabrication de maquettes, ou encore à apprendre à jouer d'un instrument de musique. Selon leurs moyens, leurs habiletés et leurs intérêts, les grands-parents peuvent combler certains désirs de l'enfant.

Désormais plus habile de ses mains, l'enfant peut réaliser quelques tours de magie ou de cartes. Il prendra plaisir à en faire la démonstration à ses grands-parents. Découvrir l'effet d'une loupe ou d'un microscope sur la taille des objets, décorer un gâteau, découper des guirlandes, apprendre à jongler avec deux puis trois balles, voilà d'autres exemples d'activités qui lui plairont et lui permettront d'utiliser ses nouvelles habiletés.

Le sens des mots le captive. Ainsi, il écoutera avec intérêt l'explication de certains proverbes (après la pluie, le beau temps ; une de perdue, dix de retrouvées ; rien ne sert de courir, il faut partir à point) ou de certaines expressions (couper les cheveux en quatre ; tourner les coins ronds).

À cet âge, il commence souvent à faire des collections : cailloux, cartes de sports, figurines… Il est tout heureux quand ses grands-parents ajoutent quelques pièces à sa collection et découvre avec plaisir celle de ses grands-parents (timbres ou autre).

L'enfant aime aussi que ses grands-parents assistent aux représentations théâtrales auxquelles il participe à l'école ou qu'ils soient témoins de ses exploits sportifs. Que ses grands-parents prennent le temps d'aller le voir jouer est pour lui la preuve qu'il compte à leurs yeux, ce qui contribue à développer son estime de lui-même.

> Avec nos petits-enfants, on fait toutes sortes d'activités. Par exemple, j'accompagne mon petit-fils de 8 ans au baseball quand son père n'est pas disponible. Quand nos petits-enfants viennent nous voir, nous préparons des repas à leur goût.
>
> *Grand-papa de six petits-enfants*

D'ailleurs, une invitation à partager un repas avec ses grands-parents en l'absence des parents ou à passer quelques jours de vacances chez eux confirme à l'enfant qu'il est dorénavant un grand, une personne à part entière et digne d'attention.

De 12 à 18 ans : cours de diplomatie en accéléré

Puis, un jour, le petit-enfant entre dans le monde de l'adolescence. Comme la construction de sa personnalité passe par une distanciation de ses parents et par une émancipation affective et financière (quoique cette dernière survienne de plus en plus tard dans le contexte social actuel), l'adolescent peut aussi inclure ses grands-parents dans ces adultes dont il doit prendre ses distances pour trouver sa propre identité. De plus, puisqu'il accorde dorénavant la priorité à son groupe d'amis, il a moins de temps à consacrer à ses grands-parents. En conséquence, il est possible qu'il veuille moins souvent aller chez eux. Il faut comprendre ce besoin de liberté et ne pas se sentir rejetés si l'enfant préfère sortir avec ses amis plutôt qu'aller voir ses grands-parents.

Toutefois, il peut aussi arriver que l'adolescent choisisse l'un de ses grands-parents comme confident parce qu'il a besoin d'un interlocuteur d'expérience. La grand-mère ou le grand-père représente alors cet adulte, en marge de sa vie de tous les jours, qui ne le juge pas et qui s'intéresse vraiment à lui, à ses idéaux, à ses idées et à ses ambitions, qui est prêt à l'écouter et à le prendre au sérieux. L'adolescent ne vient pas nécessairement demander conseil à son grand-parent. La plupart du temps, il cherche plutôt une oreille attentive.

Cela peut être l'occasion pour l'adolescent de parler de ses premiers intérêts de carrière, d'en discuter avec des personnes qui l'écoutent sans porter de jugement. Une discussion respectueuse avec l'adolescent, où les grands-parents donnent leur point de vue sans vouloir l'influencer dans un sens ou dans l'autre, peut se révéler très profitable pour un jeune qui est en quête de son identité.

Pour maintenir le contact avec le petit-enfant devenu adolescent, il est judicieux de s'intéresser à ses activités, à ses amis, à ses engagements, à ses loisirs et de manifester sa fierté en allant à ses activités.

> Avec Michèle, qui a 14 ans, on dialogue beaucoup ; elle nous parle de ses copains, de ses études, elle nous livre parfois des secrets. On joue aux cartes, on va la voir lors de rencontres sportives (elle joue à la balle). L'autre jour, elle devait recevoir un certificat de mérite et elle avait le droit d'inviter une autre personne que ses parents ; j'ai été heureux qu'elle pense à moi.
>
> *Robert, grand-papa de Michèle*

Par ailleurs, l'adolescent sera sûrement étonné et ravi que ses grands-parents manifestent le désir d'écouter le dernier CD qu'il a acheté. Cela demande parfois un certain courage, mais l'audition d'un CD ne dure qu'une trentaine de minutes et les grands-parents peuvent alors découvrir que certaines pièces leur plaisent.

Et pourquoi ne pas lui proposer de partager de bons moments en s'inscrivant ensemble à un cours : cuisine, langue, kayak ou autre ? L'adolescent peut trouver « *cool* » que son grand-père ou sa grand-mère ait un tel intérêt et cette rencontre hebdomadaire devient l'occasion pour les deux d'évoluer dans un nouvel apprentissage et de partager effort et plaisir. Un rendez-vous périodique pour un repas au restaurant peut aussi plaire à l'adolescent. Les grands-parents peuvent également l'aider dans ses travaux scolaires, pour une recherche sur un sujet donné par exemple, et avoir ainsi l'occasion de bouquiner avec lui. Pour passer un peu de temps avec un adolescent très occupé, on peut lui offrir de le conduire à ses activités ; tout en lui rendant service, cela permet aussi de garder contact avec lui malgré son horaire chargé.

L'adolescent aime démontrer ses habiletés à ses grands-parents, que ce soit pour expliquer le fonctionnement de l'ordinateur ou pour installer une chaîne stéréo. Il sera aussi fier qu'on lui demande de faire certaines tâches chez ses grands-parents : poser des stores, laver les carreaux ou encore faire le gazon. Il gagnera en assurance s'il sent qu'on lui fait confiance et qu'on lui reconnaît des habiletés.

> Quand mon fils était jeune adolescent, mon père faisait appel à lui pour tondre le gazon, rentrer l'équipement de jardin à l'automne, enlever les feuilles sur le toit. Je ne suis pas certaine qu'il avait vraiment besoin de son aide ; c'était, je pense, un prétexte pour le voir et une façon de lui donner confiance en lui donnant des responsabilités d'adulte. Mon fils était toujours heureux de répondre à ses demandes.
>
> *Véronique, 58 ans*

Pour comprendre l'adolescent et maintenir une bonne relation avec lui, il faut parfois éviter de s'arrêter à son apparence physique. Il peut avoir les cheveux violets ou un anneau dans le sourcil, mais c'est toujours l'enfant que les grands-parents ont bercé dans leurs bras quelques années plus tôt. Son apparente indépendance et son arrogance, tant dans ses propos que dans ses comportements, ne doivent pas non plus arrêter les grands-parents. Il faut se rappeler qu'il est à la recherche de son identité et cela passe par le rejet des valeurs et des modes des adultes.

À partir de l'adolescence, la relation entre le jeune et ses grands-parents devient de plus en plus directe, puisque les parents n'ont pas à être présents pour qu'elle se maintienne. De plus, ce lien est davantage fonction du libre choix des deux parties en cause que d'une obligation.

Et les petits-enfants adultes?

Selon une étude menée en 2002 par l'Institut Vanier de la famille auprès de 92 étudiants de 18 à 30 ans[1], les activités les plus courantes auxquelles participent les petits-enfants adultes avec leurs grands-parents sont, selon la fréquence, les visites, les appels téléphoniques, l'écoute de la télévision, le magasinage, l'assistance à des rites religieux, l'accompagnement en voiture des grands-parents à des rendez-vous, les transactions bancaires, le jardinage et le ménage.

On a demandé à ces petits-enfants devenus adultes de quelle façon leurs grands-parents avaient influencé leur vie. Selon eux, entre autres, les grands-parents:

- sont à l'écoute des petits-enfants;
- leur apprennent à apprécier les origines de la famille;
- leur servent de modèle par la façon dont ils ont vécu leur vie;
- leur montrent comment être une personne généreuse;
- les encouragent à travailler fort;
- les aident à passer à travers les moments difficiles;
- les encouragent à être honnêtes;
- leur inculquent des valeurs morales, religieuses et autres;
- sont loyaux envers leurs petits-enfants;
- protègent leurs petits-enfants;
- aiment leurs petits-enfants de façon inconditionnelle.

La famille s'agrandit

Le premier petit-enfant est suivi par d'autres. Quand de nouveaux petits-enfants s'ajoutent à la famille, ce sont de nouvelles découvertes qui s'offrent aux grands-parents.

Toutefois, si le premier petit-enfant a été le seul de la famille pendant quelques années, la vigilance s'impose pour s'assurer que les choses se passent en douceur et que l'enfant ne considère pas ce nouveau bébé comme un rival venant diluer l'affection que lui portent ses grands-parents. Cela est d'autant plus vrai si le nouveau-né est son petit frère ou sa petite sœur.

Des petites attentions, de celles-là mêmes que devraient porter tous les adultes à l'enfant qui voit arriver un nouveau bébé dans sa famille, peuvent atténuer de vives réactions de sa part. Ainsi, lors des premières visites au bébé, les grands-parents peuvent lui demander de leur présenter son petit frère ou sa petite sœur et prévoir un cadeau pour lui aussi.

Au cours des visites suivantes, il est sage de prendre le temps de parler à l'enfant avant de s'intéresser au bébé et de restreindre l'élan spontané qui pousse les grands-parents vers le nouveau-né. En d'autres mots, il s'agit de lui montrer que l'arrivée de ce nouvel enfant ne compromet en rien l'amour que ses grands-parents lui portent.

L'arrivée de nouveaux petits-enfants dans la famille prouve de nouveau aux grands-parents que chacun est différent et possède des traits de caractère qui lui sont propres (comme c'était le cas avec leurs enfants).

J'aime mes petits-enfants autant les uns que les autres, mais pour des raisons différentes et de façon différente. Comment pourrait-il en être autrement ? Chacun est une personne différente de l'autre.

Andrée, grand-maman de cinq petits-enfants

En prenant le temps de connaître les petits individuellement, en passant des moments avec chacun d'eux séparément, les grands-parents apprennent à reconnaître leurs différences de tempérament, de personnalité et de goût. Parce qu'ils les connaissent et les comprennent mieux, ils éprouvent davantage de plaisir en leur compagnie.

Quoique la majorité des grands-parents aient de l'affection pour tous leurs petits-enfants, ils établissent parfois un lien privilégié avec l'un d'entre eux. Cela est également vrai de certains petits-enfants qui chérissent particulièrement l'un de leurs grands-parents. Tout en évitant de susciter des jalousies entre les petits, il ne faut pas se sentir coupable d'avoir plus d'affinités avec l'un d'eux. L'amour n'est pas un concept mathématique qui se divise toujours en parts égales, ni un chronomètre qui répartit le temps accordé à chaque petit-enfant de façon uniforme.

D'ailleurs, il arrive à certains moments que l'un d'eux ait plus de besoins qu'un autre qui, lui, réclamera davantage d'attention plus tard. Savoir s'adapter, composer avec les différences et répondre aux besoins individuels, cela aussi fait partie de l'art d'être grands-parents.

Les grands-parents vieillissent

Le passage du temps touche aussi les grands-parents. Ils prennent de l'âge. Avec les années, ils ont plus de mal à suivre l'enfant dans ses activités. C'est faire preuve de sagesse que de reconnaître ses limites, que ce soit pour garder le petit-enfant ou pour le suivre dans certaines de ses activités. La relation avec ce dernier n'est pas compromise pour autant ; elle se manifeste autrement. Les activités partagées avec lui sont différentes et on privilégie celles qui requièrent moins d'énergie.

Avec l'âge, les conditions de vie des grands-parents changent aussi. La maison familiale est souvent remplacée par un logement plus petit et les déplacements en soirée diminuent à la faveur de ceux de jour. Il faut toutefois éviter que la vie ne s'arrête quand surviennent de grands changements ou des événements douloureux.

> Quand ma mère est décédée, ça a été comme si tout mourait pour mon père : il a vendu la maison et il habite maintenant dans un petit appartement de deux pièces et demie. Aujourd'hui, à 72 ans, quand il nous rend visite, il participe à certains événements : activités sportives de mon fils ou spectacle de mes filles. Toutefois, la relation de mes enfants avec mon père est distante et sporadique. Il m'appelle, mais ne demande pas à parler aux enfants.
>
> *Père de Camille, Clémence et Félix*

Ce que les petits-enfants aiment et n'aiment pas chez leurs grands-parents

Très observateurs, les petits-enfants sont des témoins souvent silencieux des divers comportements de leurs grands-parents. Certains de ces comportements leur plaisent mais d'autres, non[2]. Il peut être utile de les connaître pour créer une interaction agréable avec eux.

Ce qu'ils apprécient

Trois qualités de cœur qui peuvent être cultivées en dépit du vieillissement les conquièrent à tout coup : la bonté, la gaieté et la sagesse.

La bonté, c'est penser à des petites délicatesses qui plairont aux enfants (préparer leur repas préféré, par exemple), s'intéresser à ce qu'ils racontent et les écouter avec attention, ne pas se fâcher pour des bagatelles, comprendre qu'un enfant est parfois de mauvaise humeur et ne pas en faire tout un plat. La bonté, c'est surtout donner du temps et de l'amour.

Les petits-enfants aiment aussi que leurs grands-parents respirent la gaieté et créent une atmosphère joyeuse et sans tension. Il est plus facile pour les grands-parents d'établir avec leurs petits-enfants une interaction chaleureuse et non compliquée parce qu'ils n'ont pas à gérer les responsabilités, les obligations et les conflits inhérents à la relation parents-enfant. La plupart du temps de bonne humeur, les grands-parents sont souvent plus patients que les parents et les petits-enfants réagissent positivement à une telle attitude.

Être capable de relativiser les diverses situations grâce à l'expérience accumulée avec ses propres enfants, c'est peut-être ça la sagesse. Les petits soucis quotidiens ne sont jamais graves pour ces grands-parents. Quand ils gardent l'enfant, ils ne s'inquiètent pas s'il mange moins une journée, car ils savent que ce manque d'appétit occasionnel ne nuira pas à sa santé. Après tout, leurs propres enfants en sont la preuve vivante, car ils refusaient eux aussi de manger à l'occasion.

Vous voulez être des grands-parents appréciés de vos petits-enfants ? Évitez de tomber dans le piège des personnes âgées intolérantes et mettez tout en œuvre pour avoir du plaisir avec eux, pour partager des moments agréables et remplis d'amour. En plus d'en profiter vous-mêmes, vous leur préparez de la sorte des souvenirs impérissables de leurs grands-parents.

Avec le temps, les rôles s'inversent. Ce sont les grands-parents qui ont besoin de l'affection et de l'attention de leurs petits-enfants pour atténuer leur sentiment de solitude. Parfois, leur aide pour certains travaux domestiques ou pour des réparations mineures au domicile est grandement appréciée. Toutefois, plus qu'une aide tangible, les grands-parents vieillissants souhaitent surtout la tendresse et l'amour de leurs petits-enfants.

Aujourd'hui, ma grand-mère a 100 ans. Comme mes parents sont décédés, c'est moi qui m'en occupe. Je veille à ce qu'elle ne manque de rien dans le centre où elle vit. Je l'appelle et je vais la voir régulièrement.

Michèle, 56 ans

Ce qu'ils détestent

Les petits-enfants détestent que leurs grands-parents s'inquiètent en permanence pour eux ou qu'ils usent d'une autorité intransigeante.

« Ne cours pas : tu vas tomber. »

« Prends de plus petites bouchées : tu vas t'étouffer. »

« Ne va pas vite avec ton tricycle ; tu vas tomber dans la rue et te faire frapper par une voiture. »

Ils n'aiment pas davantage entendre leurs grands-parents se plaindre constamment. Le plus souvent, ces derniers parlent de leur douleur, de leur fatigue et de leur maladie aux parents, mais les petits-enfants sont là et entendent ces plaintes incessantes.

« Je dors tellement mal. Je suis épuisée. »

« J'ai toujours ces brûlures d'estomac ! Je vais voir mon médecin demain. »

« La semaine dernière, j'avais une grippe épouvantable ; j'étais incapable de me lever. Là, ça va un peu mieux, mais je ne me sens pas encore très bien. »

> Ma belle-mère se plaint constamment ; elle se trouve toujours de nouvelles maladies. Quand mes enfants, qui sont aujourd'hui adultes, voyagent, elle s'inquiète pour eux pendant toute leur absence, craignant pour leur sécurité. Elle se plaint alors que ses inquiétudes l'empêchent de dormir. Dans sa façon de voir les choses, elle considère que mes enfants ont des obligations à son endroit : elle s'attend à ce qu'ils l'appellent et la visitent fréquemment. Chaque fois qu'elle les voit, elle leur reproche leur négligence et se plaint d'être laissée seule trop souvent. Une telle attitude de sa part est lourde à porter pour mes enfants et ne les encourage pas à aller voir fréquemment leur grand-mère.
>
> *Manon*

Rappelons-nous que démontrer du sang-froid dans les épreuves et de la détermination devant l'inévitable, c'est donner une leçon de courage à ses petits-enfants.

Notes

1. R. Aber Schlesinger et B. Schlesinger. « Les grands-parents et les petits-enfants adultes : rôles et influences ». *Transition* (revue de l'Institut Vanier de la famille), numéro d'automne, 2004, 8-10.

2. P. Olivier. *Op. cit.* p. 40.

CONCLUSION

Où serai-je dans cinq ans ? Je n'en sais rien
et j'en suis ravie.
L'une des choses les plus merveilleuses dans la vie,
ce sont les surprises qu'elle nous réserve.

Marlo Thomas

Si je pouvais revivre ma vie,
je m'arrangerais pour commettre plus d'erreurs.
Je ne m'en ferais pas. Je gravirais plus de montagnes,
je franchirais plus de rivières. Je ferais plus la fête.
Je cueillerais plus de marguerites.
Et surtout, j'aurais plus de vraies préoccupations
et moins de problèmes imaginaires.

Don Herold

Chaque changement de rôle, chaque nouvelle étape qu'on traverse dans la vie apporte son lot de questionnements, de pièges et de bonheurs. Devenir grands-parents n'y échappe pas. « Ce changement de statut, cette recomposition de la famille se fera plus en douceur si chacun accepte sa nouvelle position et met tout en œuvre pour tenir correctement son rôle en en explorant toutes les possibilités et les richesses[1]. »

Selon une étude canadienne sur la grand-parentalité[2], le rôle des grands-parents est complexe, peut-être même davantage que celui des parents, parce qu'il implique un plus grand nombre de personnes et que les attentes face à ce rôle sont moins bien définies.

Avec les années, la façon d'assumer ce rôle évolue : le petit-enfant vieillit, les grands-parents aussi, d'autres enfants s'ajoutent à la famille. Les besoins des uns et des autres changent, mais le lien affectif unissant grands-parents et petit-enfant demeure tout aussi riche et vivace.

Et tout au long de leur vie, les grands-parents laissent à leurs petits-enfants quelques souvenirs impérissables qui témoignent de la mesure de leur amour, et à leurs enfants, un modèle de grands-parents qui pourra les guider quand ils arriveront à leur tour à cette étape de la vie. Bientôt, les grands-parents deviendront arrière-grands-parents. Mais cela... c'est une autre histoire. En attendant, à l'intention de tous les grands-parents, je formule le souhait suivant : « Puissiez-vous vivre aussi longtemps que vous le désirez. Puissiez-vous le désirer aussi longtemps que vous vivrez. » (Toast celtique)

Alors peut-être serez-vous en mesure, dans plusieurs années, de faire un témoignage semblable à celui de Jeanne, 98 ans :

> Je suis devenue arrière-grand-mère à 77 ans et depuis, 22 autres petits-enfants ont vu le jour. Comme notre famille a toujours été unie et que j'ai la chance d'avoir une très bonne santé, j'ai toujours été très proche d'eux. C'est une joie pour moi de voir la famille s'agrandir année après année, de pouvoir suivre l'évolution de chacun et de profiter de l'amour qu'ils me rendent bien. Et je pense souvent que, sans moi, tout ce petit monde n'existerait pas[3].

Notes

1. P. Olivier. *Op. cit*. p. 127.
2. P. Olivier. *Op. cit*.
3. P. Olivier. *Op.cit*.

L'histoire de
(nom de l'enfant et
date de naissance)

par
grand-maman
(nom de la grand-maman)

et
grand-papa
(nom du grand-papa)

C'est le (jour et année) *que nous avons appris que tu serais bientôt parmi nous.*
(Façon dont vous l'avez appris : test de grossesse, à l'occasion d'un souper ou autre…)

Nous avons su que tu étais (un garçon ou une fille), *le* (date).
(Avez-vous vu l'échographie ?)

Le jour de ta naissance

Tes parents sont partis pour l'hôpital à (heure).
Séquence des événements

Tu es né (e) à (l'heure de sa naissance), *tu pesais* (poids) *et tu mesurais* (taille).

Ce jour-là, il faisait (météo).
(Événements particuliers pendant cette journée. Une coupure du journal du jour peut en témoigner.)

Nous t'avons vu(e) pour la première fois à (heure), *à l'hôpital* (nom de l'hôpital, numéro de chambre) *ou à la chambre de naissance* (lieu).

Nos premières impressions

Photos

Ton arrivée à ta maison

Tu es revenu (e)à la maison

avec ta maman et ton papa le (date).

Les premiers jours

Photos

Un peu d'astrologie pour s'amuser

Selon le zodiaque, tu es…
www.horoscope-fr.info/signes-du-zodiaque.html

Selon l'astrologie africaine, tu es…
eulita.chez-alice.fr/temps-reves/astrologie/astroafr.htm

Selon l'astrologie celtique, tu es…
www.chezmaya.com/horo-chi/celtique.htm

Selon l'astrologie amérindienne, tu es...
www.autourdelalune.com/animal-totem/initiation-a-l-astrologie-amerindienne.html

Selon l'astrologie chinoise, tu es...
www.astro.qc.ca/chinois

Selon la numérologie, ton thème est...
www.kabalistik.com

Ce que signifie ton nom

Ton prénom a été choisi par... parce que...
Voici ce qu'il signifie:
www.signification-prenom.com

Ta famille et toi

L'année de ta naissance...

Ton père travaille à...

Ta mère travaille à...

Ton frère (nom) *a* (âge) *et ta sœur* (nom) *a* (âge).

Ta famille demeure au (adresse)
dans (une maison, un appartement...).

Nous habitons au (adresse) *qui se trouve à* (nombre de km,
distance en minutes/heure) *de chez toi.*

Tes parents ont (animal: chat, chien, oiseau, autre) *qui*
s'appelle (nom de l'animal, joindre une photo de l'animal).

Tu as (nombre de cousins et de cousines) *et ils s'appellent*
(leurs noms).

Tes parents (ou tes grands-parents, tes oncles, tes tantes) *ont*
fait un voyage à (destination) *l'année de ta naissance.*

Ton père, ta mère (ou tes grands-parents, tes oncles, tes tantes)
aiment passionnément
(Indiquer les passions de chacun: peindre, collectionner des timbres,
faire des rénovations, jouer de la guitare, chanter ou toute autre
passion...)

Ce qui s'est passé dans le monde en 20...
(année de naissance)

• *Événements particuliers survenus cette année-là.*

Les grands de ce monde

• *Qui était premier ministre du Québec, du Canada, etc. ?*

Combien coûtaient les choses en 20...?

• *Un disque compact ?*
• *Une séance de cinéma ?*
• *Une voiture ?*
• *Un cornet de crème glacée ?*
• *Un appareil photo numérique ?*

Combien coûtaient ces choses quand nous étions nous-mêmes enfants ?

• *Un disque compact ? (n'existait pas ?)*
• *Une séance de cinéma ?*
• *Une voiture ?*
• *Un cornet de crème glacée ?*
• *Un appareil photo numérique ? (n'existait pas ?)*

Conseils si tu souhaites un petit frère ou une petite sœur :

Demande à papa et à maman d'y penser.

Le soir, quand ils te mettent au lit, sois sage et n'appelle pas ; ça pourrait aider.

Quelques secrets de grand-mère

Le père Noël

(**Suggestion** : Un jour, tu verras un gros bonhomme tout de rouge vêtu et qui rit très fort. Il ne faudra pas en avoir peur, car il est très gentil et il t'apportera des cadeaux à Noël.)

L'Halloween

(**Suggestion** : Un certain soir de l'année, des petits monstres viendront sonner à ta porte. Il ne faudra pas en avoir peur, car ce ne sont que des enfants déguisés. Quand tu seras plus grand(e), tu pourras toi aussi te déguiser et aller sonner aux portes pour avoir des bonbons.)

La Fée des dents

(**Suggestion** : Quand tu seras grand(e), tu perdras tes dents de bébé, mais seulement une à la fois. Si tu la mets sous ton oreiller, la Fée des dents viendra la chercher et te laissera des sous.)

La Saint-Valentin

(**Suggestion** : La Saint-Valentin est la fête de l'amour. C'est l'occasion de dire à nos proches qu'on les aime. N'oublie pas de le dire à tes parents. Peut-être recevras-tu des cœurs en chocolat de la part de ceux qui t'aiment.)

La chasse aux œufs de Pâques

(**Suggestion** : Le jour de Pâques, il est possible qu'un lapin passe dans ta cour et y cache des œufs en chocolat. Il te faudra les chercher partout si tu veux en manger.)

Un secret pour toi

(Suggestion)

Pour être heureux, tu dois :

- Croquer dans la vie à belles dents ;
- Consacrer ton énergie à des choses importantes ;
- Prendre des risques sans jamais rien regretter ;
- Profiter pleinement du moment présent.

Ce que nous te souhaitons :

(Suggestion)

- Une vie remplie et heureuse ;
- De connaître l'amour et le bonheur ;
- D'être passionné(e) ;
- D'apprécier la beauté de la vie.

Pour terminer, que dirais-tu de voir les autres membres de ta famille quand ils étaient bébés ?

(Joindre des photos des proches.)

Ressources

Livres

ATTIAS-DONFUT, C. et M. SEGALEN. *Grands-parents – La famille à travers les générations*. 2ᵉ éd. Paris : Odile Jacob, 2007.

ATTIAS-DONFUT, C. et M. SEGALEN. *Le siècle des grands-parents : une génération phare, ici et ailleurs*. Paris : Ed. Autrement, 2001.

BARBARA, D. et D. BECCARIA. *L'album de ma grand-mère – Un livre-cadeau à remplir avec ta grand-mère pour mieux la connaître*. Paris : De La Martinière Jeunesse, 2010.

BARBARA, D. et D. BECCARIA. *L'album de mon grand-père – Un livre-cadeau à remplir avec ton grand-père pour mieux le connaître*. Paris : De La Martinière Jeunesse, 2010.

CHOPPY, E. et H. LOTTHÉ-COVO. *Petit manuel à l'usage des grands-parents qui prennent leur rôle à cœur*. Paris : Albin-Michel, 2006.

FUCHS, M.-F. *Questions de grands-parents : comment trouver sa place dans la famille et la société d'aujourd'hui*. Paris : De La Martinière, 2001.

FUCHS, M.-F. et G. LAPLAGNE. *L'art d'être grands-parents*. Genève : Éditions Minerva, 1999.

LE BIHAN, A-S. *Si tu dis NON je vais chez mamie !* Paris : Larousse, 2011.

LECARME, P. *Le guide des nouveaux grands-parents*. Paris : Leduc.s Éditions, 2009.

NATANSON, M. *Dans ma famille, je demande les grands-parents !* Paris : Fleurus, 1999.

OLIVIER, P. *Guide pour être de bons grands-parents*. Paris : De Vecchi, 2000.

PARENT, N. *Pour grands-parents seulement! Aimer nos petits-enfants – Un art à découvrir*. Montréal : Éditions Québecor, 2010.

WESTHEIMER, R. et S. KAPLAN. *Profession : grands-parents. Le guide pratique des nouvelles relations entre grands-parents et petits-enfants*. Paris : Osma Eyrolle, 2000.

Sur le Web

À la défense des grands-parents, des aînés et des familles
Association des grands-parents du Québec (AGPQ)
www.agpq.qc.ca

Allo grands-parents
École des grands-parents européens (EGPE)
www.egpe.org

Les grands-parents d'aujourd'hui
www.lesgrandsparents.com

tc • TRANSCONTINENTAL

Imprimé au Canada